進《しん》撃巨《きょ》人《じん》中《ちゅう》学《がっ》校《こう》

titan junior high school

1

漫画《まんが》:中川《なかがわ》沙樹《さき》

原作《げんさく》:諫山《いさやま》 創《はじめ》

Contents

4月9日火曜日

日直 エレン

ガサ
ガサ
ガサッ
思《おも》ったより
深《ふか》いな この森《もり》…
ガサッ
無事《ぶじ》に帰《かえ》れるか
不安《ふあん》になってきた
……もう
エレンが勝手《かって》に
遠足《えんそく》の列《れつ》から
外《はず》れるから…
ズシン…
う……
うるせぇ!!
ズシン…
ズシン…
……
何《なん》だこの音《おと》?
ズシン
ズシーン
ズシン
近付《ちかづ》いてくる…
ハッ
うわぁあああぁあ

1時《じ》間《かん》目《め》　アレがアレしたアレ

5年後《ねんご》――
とうとうオレ達《たち》も中学入学《ちゅうがくにゅうがく》か――
ドキドキするなミカサ！
…………
私《わたし》はそうでもないけど…
何《なん》だよ浮《う》かない顔《かお》して…
中学入学《ちゅうがくにゅうがく》するってことはお前《まえ》……

MUNO
奴《やつ》らを倒《たお》す
チャヅンッッ
し〜〜ん
ム
グッ
なぁ……この
バカみたいにでかい
ケシゴムは
NU
奴らの
ケシゴム
だよな？
だと思《おも》う
けど……
彫刻刀
ケシゴム判子《はんこ》に
してやる
ザリ
ザリ
ザリ
ザリ
エレ
やめて!!
ムスーーッ
=3
一度《いちど》落《お》ち着《つ》いて
エレン……

確《たし》かにこれは
奴らのケシゴムだと思《おも》うけど…多分《たぶん》ただの落《お》とし物《もの》
エレ
こんなことでいちいち怒《おこ》っていたら学校《がっこう》では身《み》がもたなくなる
ミカサ…
確《たし》かにお前《まえ》の言《い》う通《とお》りだな
中学《ちゅうがく》に入《はい》れば毎日《まいにち》が奴《やつ》らとの戦争《せんそう》も同然《どうぜん》だからな
えっ
ドグサアッ
待《ま》ってろよ…奴《やつ》らにこの痛《いた》みを10倍《ばい》にして
返《かえ》してやゴブ
うあいったぁああぁ
ザザ
ザザ
カターンッ
ク…クソッ
もう許《ゆる》さん……
絶対《ぜったい》許《ゆる》さん!!
ゴゴゴ
ゴ

巨《きょ》人《じん》ども許《ゆる》さーん!!
ドーンッ
あっ
スッ

……
エレン
ガッ
ブッ
やるかオラーー!!
エレンが悪い
ザッ
ザワ
ザワ
ザワ
進撃中学校《しんげきちゅうがっこう》校門《こうもん》
通称《つうしょう》
"ウォール・マリア"

クッソー落《お》としたあいつが悪《わる》いんだろ
見《み》てろ…あいつ諸共《もろとも》巨人《きょじん》は全員《ぜんいん》ぶっ倒《たお》してやる!
エレン…もう巨人《きょじん》のことはいいでしょ…
何《なん》でだよミカサ!!
5年前《ねんまえ》のことがあってエレンが巨人《きょじん》を憎《にく》んでるのはわかってる
人間用身体・持ち物検査
でもこれ以上《いじょう》…巨人《きょじん》に執着《しゅうちゃく》してほしくない…
ザワ
ザワ
巨人《きょじん》と争《あらそ》うのはあまりにも危険《きけん》すぎる
そして…
そして何《なに》より
5年前《ねんまえ》のあのことを人前《ひとまえ》で口外《こうがい》しない方《ほう》が……

……
エレン？
ズシン
ズシン
巨人様
身体・持ち物検査
フッ
巨人《きょじん》ども
人間《オレ》が紛《まぎ》れこんでいることにまったく気付《きづ》いていないようだな
さっきの報復《ほうふく》で荷物《にもつ》をかっぱらってやる！
コソ
コソ
忘《わす》れ物《もの》で先生《せんせい》に怒《おこ》られるがいい!!
エモノ
発見《はっけん》！
ペロン
これは…
グイッ
一体《いったい》何《なん》の布《ぬの》だ？
くんか
くんか
オウェェェェエエェェェ

うそぉぉぉ
何《なん》だこの臭《にお》いは…!?
バサアッ
もういい…一気《いっき》に引《ひ》き抜《ぬ》いて…
!?
しまった!急《きゅう》に引《ひ》っ張《ば》ったから上《うえ》に落《お》ちてきた…
うおおぉぉクサイオエエエ!!
オェッ……やっと出《で》られた………
これは相当《そうとう》な大物《おおもの》を引《ひ》っこ抜《ぬ》いたようだぜ…
一体《いったい》何《なに》を…
くるっ

スッ
ギュッ
燃《も》やす
くさいし
ズーリ
ズーリ
何《なに》してるの
エレン!!
ミカサ!!
コラー!
人間《にんげん》の生徒《せいと》が
ここで何《なに》を
やってる!!
せ…
先生《せんせい》まで……!
お前《まえ》か!
ブルマー泥棒《どろぼう》は!?
別《べつ》に…ブルマーを
盗《ぬす》みたかった
わけじゃ……
女子生徒《じょしせいと》(巨人《きょじん》)が
泣《な》いてるんだ!
とにかく謝《あやま》っとけ!
何《なに》ぃっ
そんな……!!
くるっ
オレが巨人《きょじん》に頭《あたま》を
下《さ》げるなんて…
まったくどんな
巨人《きょじん》だ——…

グズッ
グスッ
ヒック
ほらもうすっごい
泣《な》いてるね!!
グスッ
ウウウ…
……
アレが……
アレした…
パァァァン
アレを……
くんかくんか
このオレが…
ザクッ
エレン!?
エレンが
白《しろ》くなってる
そんなに謝《あやま》るの
嫌《いや》だったの!?
!!
そんなんじゃちゃんと
大人になれない…っ
……
プンプン

1年4組
ザワ
ザワ
チラ
しくしく
フイッ
……
さっきの事情《じじょう》を聞《き》くと
慰《なぐさ》めてあげたい気《き》が
しないこともないけど……
あれはどう考《かん》えても100%
すべて何《なに》もかも間違《まちが》いなく
火《ひ》を見《み》るよりも明《あき》らかに
エレンの自業自得《じごうじとく》…それに…
エレンもきっと
それくらいは
わかっている…
慰《なぐさ》めたりしたら
逆《ぎゃく》に……
プライドを
傷《きず》つける……
ガ
ミカサ…
エレン!
もう
立《た》ち直《なお》って…

ちょっとは慰《なぐさ》めろよ
……………え？
オレはお前《まえ》ならきっと慰《なぐさ》めてくれると思《おも》っておとなしくしてたのに…
……
ミカサそれはちょっと冷《つめ》たくないか？
……いやあの…エレン……
さっきのは全部《ぜんぶ》自業自得《じごうじとく》だと思《おも》うけど…
は？
いやオレは何《なに》も悪《わる》くないぞ
なぜならあいつらが絶対《ぜったい》悪《わる》いからな

……あ あの… エレン… ちょっと
──10時《じ》30分《ぷん》より入学式《にゅうがくしき》を始《はじ》めます
生徒《せいと》の皆《みな》さんは校庭《こうてい》へ集合《しゅうごう》して下《くだ》さい──
始《はじ》まるみたいだぞ
続《つづ》きは後《あと》で話《はな》すか
………
ザワ
ザワ
ザワ
ザワ
進撃中学校 入学式
それでは只今《ただいま》より──
第《だい》104回《かい》進撃中学校入学式《しんげきちゅうがっこうにゅうがくしき》を始《はじ》めます
エレン……
エレン ちょっと!

さっきの話《はなし》の続《つづ》きなんだけど…
あぁ 何《なん》だよミカサ
エレンは…やっぱり巨人《きょじん》に執着《しゅうちゃく》すべきじゃない……
は!? お前《まえ》またそんな…
あの時《とき》のことで巨人《きょじん》を憎《にく》んでるのはわかってる
でも…… エレン…ちゃんと考《かんが》えてほしいの…
世《よ》の中《なか》には
常識《じょうしき》ってものがあるの
例《たと》えば…
相手《あいて》が巨人《きょじん》だろうと自分《じぶん》に非《ひ》がある時《とき》は謝《あやま》らないと…
ミカサ……
悪《わる》いがそういう問題《もんだい》じゃないんだ…
え… いや…
オレだって
できれば巨人《きょじん》のことなんて考《かんが》えたくもねぇ
でも…… でもなぁ!

あの時《とき》オレの大切《たいせつ》なものを奪《うば》った巨人《きょじん》の顔《かお》が…
ゴゴゴゴゴゴ
今《いま》もずっと忘《わす》れられないんだよ……!!
………
わかった…でもせめて…
人前《ひとまえ》であまりそのことを…
え?
続《つづ》きまして校長先生《こうちょうせんせい》よりご挨拶《あいさつ》を頂《いただ》きます
校長先生《こうちょうせんせい》
オオ…
進撃中学校 入学式
どうぞ――
!?
ゴゴゴ
ド
な何《なん》だこの揺《ゆ》れ…
壁《かべ》から人影《ひとかげ》が!?
ゴゴゴゴゴゴゴゴゴゴゴゴ
進撃中学校 入学式
そんな…あの壁《かべ》は50m《メートル》だぞ…
あ……
奴《やつ》だ……あの時《とき》の……

※参考《さんこう》資料《しりょう》：KCM「進撃《しんげき》の巨人《きょじん》」（講談社《こうだんしゃ》）第《だい》1巻《かん》50～51ページ

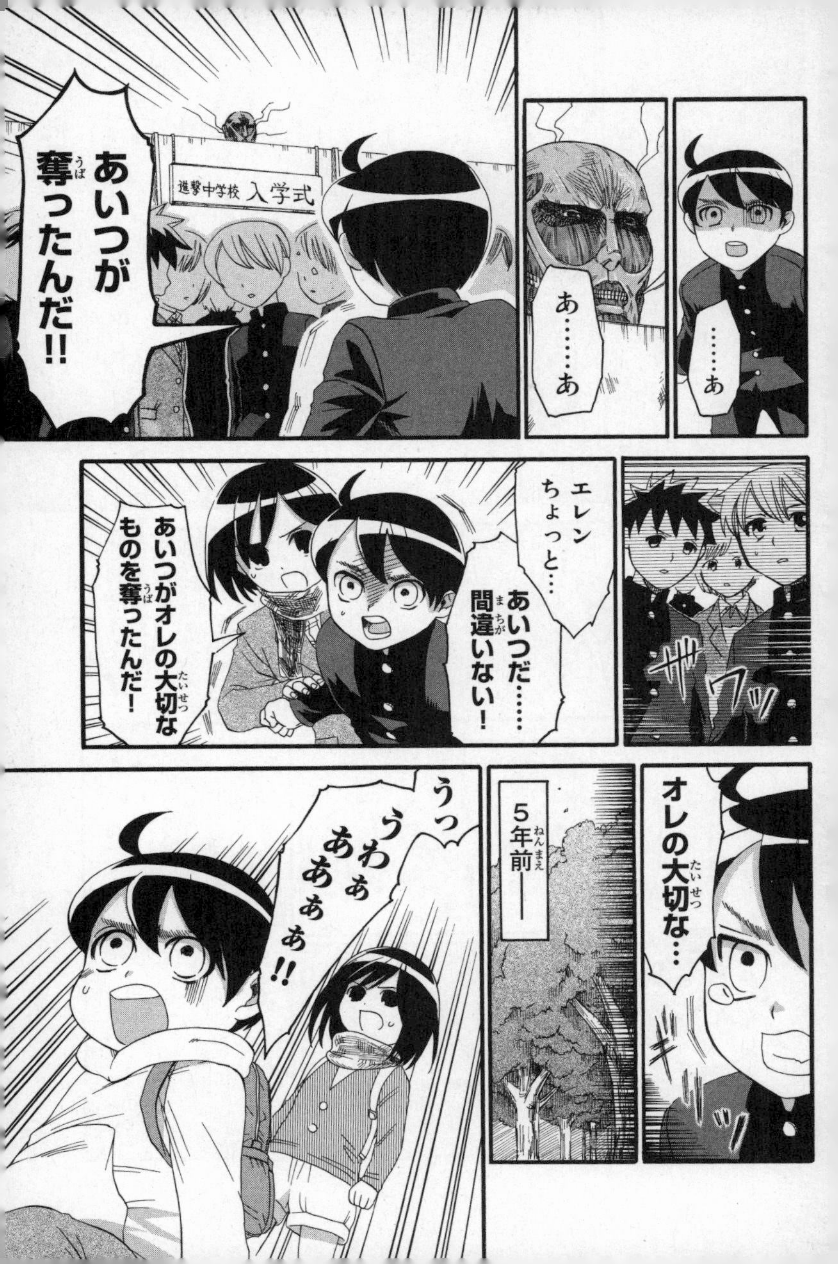
……あ
あ……あ
進撃中学校 入学式
あいつが奪《うば》ったんだ!!
ザワッ
エレンちょっと…
あいつだ……間違《まちが》いない!
あいつがオレの大切《たいせつ》なものを奪《うば》ったんだ!
オレの大切《たいせつ》な……
5年前《ねんまえ》——
うっうわぁあああ!!

きよ…きよきよ
巨人《きょじん》だぁぁぁぁ!!
ユウゥウウ
ガオッ
うっっっ
うあぁあぁあ
ジー
…………
…え?

コソ
コソ
そ…それは…
オレの弁当《べんとう》……!!
や……やめろ!!
それには
それにはオレの大切《たいせつ》な……っっ
うわあああああ
弁当《べんとう》はいないい!!
どこにもいない
うわああああ
どうしてこんな目《め》に…
人間《にんげん》が弱《よわ》いから?
弱《よわ》いヤツは泣《な》き喚《わめ》くしかないのか!?
あいつが奪《うば》ったんだ……
オレの…
オレの大切《たいせつ》な…
エレン!!
それは言《い》っちゃダメ!!

オレの大切《たいせつ》なチーズハンバーグが入《はい》った弁当《べんとう》をっっ
あいつは目《め》の前《まえ》で食《く》いやがったんだ――!!
ぜったいゆるさないからなあああ
ぽか――ん
……
こうして入学式《にゅうがくしき》は無事《ぶじ》終了《しゅうりょう》し――
ミカサ!
何《なん》で無視《むし》すんだよ!
ササササ
チーズハンバーグだ
チーズハンバーグ弁当だ!
エレンとミカサの仲《なか》は数日間《すうじつかん》険悪《けんあく》だったという――

問《とい》:エレン(中《ちゅう》１)はどこ?

※答《こた》えは43ページに

2時間目《じかんめ》 アマガミの巨人《きょじん》

1年4組
なんとかかんとか
ハT
ミカサ・アッカーマン
はい
アルミン・アルレルト
ざわ
ざわ
……一人欠席《ひとりけっせき》……と
改《あらた》めて新入生諸君《しんにゅうせいしょくん》入学《にゅうがく》おめでとう
みんなには早速《さっそく》それぞれ自己紹介《じこしょうかい》をしてほしいわけだが…
中学《ちゅうがく》での目標《もくひょう》も一緒《いっしょ》に発表《はっぴょう》してほしい!
発言《はつげん》できる子《こ》から挙手《きょしゅ》してくれ!
ざわ
ざわ
えー
目標《もくひょう》か…
うーん…
はっ
よからぬことを言《い》い出《だ》しそうなオーラ全開《ぜんかい》

ちょっとエレン……
あ～のおおおぉぉ
すみません…何《なに》か…
食《た》べる物《もの》を頂《いただ》けないでしょうか？
ゴグュルルルル ルルルルル
…どうして？
朝食《ちょうしょく》をお米《こめ》からパンにしたらネンピ悪《わる》くて
ギュルルルルルルル
お腹《なか》が減《へ》って動《うご》けないんです
グスッグスッ
………
そう…
え……そんだけですか…？
人《ひと》が目《め》の前《まえ》でお腹《なか》をすかせているのに…？
……
だって急《きゅう》に言《い》われても…
何もってないし…
はい！先生《せんせい》！
おっ早《はや》くも手《て》を上《あ》げてくれたか！
はい君《きみ》！
あ
シガンシナ小出身《しょうしゅっしん》エレン・イェーガーです！
オレの中学《ちゅうがく》での目標《もくひょう》は…

学校《がっこう》中《じゅう》…いや世界《せかい》中《じゅう》の巨人《きょじん》を…
一匹《びき》残《のこ》らず駆逐《くちく》することです!!
昨日《きのう》の※チーハン野郎《やろう》だ…
※チーズハンバーグ
変《へん》な奴《やつ》だとは思《おも》ったけどここまでとは…
巨人倒《きょじんたお》すとか絶対《ぜったい》ムリだし……
そんなことここで口《くち》にすんなよ…
な…何《なん》だこいつら…ノリ悪《わる》いな
エレン そういう問題《もんだい》じゃ…
なかなか…過激《かげき》な目標《もくひょう》だったな
誰《だれ》かもう少《すこ》し平和的《へいわてき》な自己紹介《じこしょうかい》を…
はい

ったく おかしな奴《やつ》が同《おな》じクラスにいるみてぇだが
俺《おれ》はそういう奴《やつ》を含《ふく》めて
フン
巨人共《きょじんども》のような厄介《やっかい》な連中《れんちゅう》とは関《かか》わり合《あ》わない
平穏《へいおん》な学生生活《がくせいせいかつ》を送《おく》るのが目標《もくひょう》だな
……
なるほどそうか……
で名前《なまえ》は?
うどうっ!
あっ! ジャン・キルシュタイン…ですッ!
プー あいつすべってやんの
ドンマイ
う うるせー てめーよりマシだ!
……
まぁ実際《じっさい》だいぶマシだろうからな

お前《まえ》 その様子《ようす》だと
小坊《しょうぼう》の時《とき》も周《まわ》りが
ドン引《び》きで
友達《ともだち》とか
全然《ぜんぜん》いなかった
クチだろ?
…あぁ!?
だったら
何《なん》なんだよ!!
ハハッ
悪《わる》かったな
ホントのこと
言《い》っちゃってよ!
ちなみに俺《おれ》は
サッカー部《ぶ》で活躍《かつやく》してた上《うえ》に
勉強《べんきょう》もできたからよー!!
人望《じんぼう》が並《なみ》じゃ
なかったというか
アハハハ
6年《ねん》の時《とき》に年賀状《ねんがじょう》が
12枚《まい》も来《き》たからなぁ!!
寒中見舞い含めてだけどな!
かーちーぐーみー
んだとテメー!!
オレだって…
オレだって何《なん》か…その
うぉおおぉおお
具体例《ぐたいれい》は特《とく》に無《な》いけど
毎日《まいにち》けっこう楽《たの》しかったんだぞ!!
あー楽《たの》しかったあぁ!!
ふーわーふーわー
どんだけふわっとした
記憶なんだよー
うるせー
サッカー部は自分の
ボールでもいじってろー

おい もう そのへんに…
いやいや やらせとけよ
ハハッ
チーハンの奴《やつ》 必死《ひっし》すぎだろ
ガタッ
やめなさい!!
エレン… そんなことしてると また…
んだよ ミカサ!
オイあんた 今《いま》いいとこ…
もう中学生《ちゅうがくせい》なんだから…
クラスメイトとは 仲良《なかよ》くしないと…
なっ
ゆ
許《ゆる》せねえっ!!
ガッ
うわっ
何《なん》でお前《まえ》みたいな奴《やつ》が 女子《じょし》にかばって もらってんだよ!!
!!

俺だって
誰か…助け…
いてて…
もう……
だから巨人《きょじん》のことを口《くち》にするのやめてって言《い》ってるでしょう?
さっき言《い》われた通《とお》り…
小学生《しょうがくせい》の時《とき》も巨人《きょじん》に執着《しゅうちゃく》しすぎて皆《みんな》に距離《きょり》を置《お》かれたのに…
中学《ちゅうがく》では色《いろ》んな人《ひと》とちゃんと付《つ》き合《あ》うようにしないと…
それって大事《だいじ》なことなのか?
確《たし》かにオレはこれからまたクラスの中《なか》で孤立《こりつ》するかもしれない
だがそれが自分《じぶん》のやりたいようにやった結果《けっか》なら
オレはそれを甘《あま》んじて受《う》け入《い》れるつもりだ…

だからミカサ…オレにはもう構《かま》わなくて…
でもエレン
思春期《ししゅんき》に普通《ふつう》に友達《ともだち》とか作《つく》れないと
後々《のちのち》の人格形成《じんかくけいせい》に支障《ししょう》をきたすと思《おも》うの
いやちょっとミカサ何《なに》言《い》ってるかわからな……
大事《だいじ》なことなの
人《ひと》は他人《たにん》と関《かか》わり合《あ》う中《なか》で常識《じょうしき》を身《み》につけたり自我《じが》を育《はぐく》んでいくものだから(中略)
いや…
あの…
多少気《たしょうき》が合《あ》わない人《ひと》とも付《つ》き合《あ》いを(中略)特《とく》に周《まわ》りを意識《いしき》しだすこの年頃《としごろ》には(中略)
10分後《ぶんご》
以上《いじょう》の理由《りゆう》からもエレンは自分《じぶん》の主張《しゅちょう》だけするんじゃなく(中略)
……
つまりちゃんと人付《ひとづ》き合《あ》いしなきゃダメなの
わかった?エレン
…………オ…
オレはお前《まえ》の…っっ
弟《おとうと》や子供《こども》じゃねえぞバカァァアアアアッッ
あっ
うあああああ
ダッ

エレンから動《うご》く気《き》はなさそうね…
なんて捨《す》てゼリフ…
やっぱり私《わたし》が何《なん》とかしないと——
ガラッ
あっ
あなたさっきはよくも…
おかげで死《し》にかけました
ゴゴゴゴゴゴゴ
……
あなた…エレンってわかる?
え…スルーされた…
何《なん》かみんながチーズハンバーグとか言《い》ってたような…
個人的《こじんてき》にハンバーグは和風《わふう》おろし一択《いったく》なんですけど…
まぁもちろん出されれば何だろうと食べますが。
そう…
な…何《なん》ですか一体《いったい》…
チッ
試《ため》しに話《はなし》を聞《き》いてみたけど…あの子《こ》は使《つか》えない
もっと他《ほか》の人《ひと》に話《はなし》を聞《き》かないと——
何《なに》か解決《かいけつ》の糸口《いとぐち》を掴《つか》まなきゃ…
あの…ちょっと話《はなし》を…
女子だ
女子に声かけられた

第《だい》1回《かい》 エレン・イェーガーに関《かん》する意識調査《いしきちょうさ》(ミカサ調べ)
エレン? あぁ あの人《ひと》のことか… 僕《ぼく》は巨人怖《きょじんこわ》いから…彼《かれ》とは気《き》が合《あ》わないかも…
不死鳥《ふしちょう》
マルコ
そうね ホントはいい人《ひと》なのかもしれないけど… でも私《わたし》にはフランツがいるから …その…
リア充《じゅう》
ハンナ
確《たし》かに僕《ぼく》もチーズハンバーグは大好《だいす》きだけど… やっぱり一番《いちばん》はハンナ …だから…うん
つっ
リア充《じゅう》
フランツ
…いや
弁当《べんとう》のおかずつったらからあげだろ!!
バカ
コニー
みなさんちょっとだし巻《ま》き卵《たまご》のこと忘《わす》れてませんか!?
バカかお前《まえ》ら!? カレーコロッケ最強《さいきょう》だっつの!!
ハンナが作ったものなら…
ふふ…
あーでも俺《おれ》冷凍《れいとう》のからあげはかんべんな
あの… エレンについて…
調査結果《ちょうさけっか》
弁当《べんとう》のおかずの方《ほう》が大事《だいじ》
どうしよう… 他《ほか》の人《ひと》もエレンより弁当《べんとう》のおかずの話《はなし》に走《はし》ってる…
もしかしてみんなエレンのことを避《さ》けてるんじゃ…

一方《いっぽう》エレンは
その頃《ころ》――
なあぁにが
人格形成《じんかくけいせい》
だあぁぁあ!!
うおおおおおおお
シュッ
シュッ
バッ
ザッ
☆エレンの趣味☆
(一人でもできる)
シャドーボクシング
…それにしても
中学生《ちゅうがくせい》にもなると
こんなにも世間《せけん》に
がんじがらめに
されるのか……
ざわ
ざわ
クソオッ
オレは負《ま》けん!!
ベッ
チィッ
ベチィ…？

うわぁぁ
あぁぁ!!
この声《こえ》は…
エレン!!
ミカサ…と
クラスの!
ここは
危険《きけん》だ!!
カ
パァッ
お前《まえ》ら
早《はや》く逃《に》げ…
あ
エレンが
巨人《きょじん》に――…っ
え…
あ…
パキ

るるるるるるるるる
ずじゅる〜る
ねちゃあぁあああ
ずぎゅう〜〜〜
クチャクチャ
コリコリッ
コリコリッ
コリコリッ
コリコカリッ
コリカリッ
カリリ
じゅるるるるる
グチョアアアア
ペッ

ヌタママ
ママママママ
クサイオエエエエエェ
ちゅ…中華丼《ちゅうかどん》!?
の具!!
これは…巨人《きょじん》が昼《ひる》に食《た》べたおかずでは…
うわぁ…
だから言《い》ったろ
巨人《きょじん》と関《かか》わるから・・・アマガミされてこんな…
これが巨人《きょじん》にケンカ売《う》った人間《にんげん》の末路《まつろ》か…
……
こえぇ…
巨人《きょじん》に逆《さか》らうと・・・アマガミされるって本当《ほんと》だったんだ…
やっぱチーハンと関《かか》わらない方《ほう》がいいぞ…
………
ギュッ
許《ゆる》さない…

ちょ ちょっと
何《なに》言《い》って…
ここは危《あぶ》ないから
早《はや》く逃《に》げないと…
!?
パァアアアァァン
!!
ビダァアアアアンッ
スタッ!

ビクゥッ
ブルブル
ガクガク
くるっ
……
エレン…

あっ ミカサ…
オレは…
やっと目覚《めざ》めた…
オレ…巨人《きょじん》にアマガミされてたような…
ううん…
エレンが体《からだ》を張《は》って私達《わたしたち》を助《たす》けてくれたの
!?
え…
一体《いったい》何《なに》を言《い》い出《だ》して…
ねえ みんな
!?
エレンは気絶《きぜつ》して覚《おぼ》えてないだけ…
彼《かれ》…本当《ほんとう》にすごかったもの
なんかそんな気《き》がするようなしないような
いや絶対《ぜったい》そうだよ
エレンがいれば巨人《きょじん》なんて怖《こわ》くないよ!!
……

仕方《しかた》ねぇ…
ザッ
巨人《きょじん》が怖《こわ》い奴《やつ》はオレについてこい!!
オレが全部《ぜんぶ》ぶっ倒《たお》してやる!!
うおーエレンかっけー(棒)
キリッ
ヒューヒュー(棒)
頼《たの》んだぞ俺《おれ》らの救世主《きゅうせいしゅ》(棒)
まかせとけー!!
こうしてエレンはクラスに受《う》け入《い》れられ…
なぁ…
オレすげー
さっきのってミカサが…
シッ
ビクゥッ
?
ミカサは裏《うら》でクラスの実権《じっけん》を握《にぎ》ることになったのだった――
……

※25ページの答《こた》え→ハンナとフランツの間《あいだ》にいるよ!

「進撃《しんげき》！巨人中学校《きょじんちゅうがっこう》」1巻発売記念《かんはつばいきねん》！

諫山《いさやま》 創《はじめ》×中川《なかがわ》沙樹《さき》『進撃《しんげき》』について語《かた》る！ 1

――二人《ふたり》の出会《であ》い

諫山《いさやま》（以下《いか》、い）：実《じつ》は、九州《きゅうしゅう》デザイナー学院《がくいん》の同窓生《どうそうせい》なんです。

中川《なかがわ》（以下《いか》、な）：私《わたし》が後輩《こうはい》です！

い：母校《ぼこう》へ遊《あそ》びに行《い》った時《とき》に、在校生《ざいこうせい》だった中川《なかがわ》さんに初《はじ》めて会《あ》いました。

な：当時《とうじ》、私《わたし》も週刊少年《しゅうかんしょうねん》マガジンに担当《たんとう》さん（F川《かわ》）がいて、担当《たんとう》さんについて話《はな》した記憶《きおく》があります。

い：僕《ぼく》もＦ川《かわ》さんとは面識《めんしき》があって、中川《なかがわ》さんが「Ｆ川《かわ》さんの電話《でんわ》での美声《びせい》と実際《じっさい》の見《み》た目《め》にギャップがありすぎて…」と言《い》っていたのが印象的《いんしょうてき》です。

な：そ、そんなこと言《い》いましたっけ…（笑）。

――『進撃中《しんげきちゅう》』が生《う》まれるまで

い：担当《たんとう》のバックさんが別《べつ》マガ班長《はんちょう》に「スピンオフ企画《きかく》をやってほしい」と依頼《いらい》されたのがきっかけです。４コマ漫画《まんが》の可能性《かのうせい》もあったみたいですよ。

な：私《わたし》はF川《かわ》さんから『進撃《しんげき》』のスピンオフのコンペに参加《さんか》しないか、と言《い》われ。

い：数名《すうめい》の中《なか》から中川《なかがわ》さんに決《き》まったらしいですね！

な：自分《じぶん》に決《き》まった時《とき》は「私《わたし》でいいのか？」と戸惑《とまど》いました。

い：そうなの？

な：私自身《わたしじしん》も『進撃《しんげき》の巨人《きょじん》』のファンだったので、畏《おそ》れ多《おお》い気持《きも》ちはありましたよ！

い：確《たし》か決《き》まった後《あと》に、スピンオフのイメージとして『ブラム学園《がくえん》！』をオススメしたような…。

な：はい。ちゃんと買《か》いました！ 諫山先生《いさやませんせい》は『BLAME！』がお好《す》きなんだな～と思《おも》った記憶《きおく》があります。

い：完全《かんぜん》に余談《よだん》ですが、弐瓶先生大好《にへいせんせいだいす》きです！

P84につづく

1年4
ガラッ
ん?
何騒《なにさわ》いでんだ
みんな
えー
うちこれダメだろー
魚部
部員募集!!
ざわ
ざわ
2人《ふたり》に聞《き》きたいのですが…
アルミンって子《こ》は学校《がっこう》には来《こ》ないんですか…?
!
あいつは…アルミンは色々《いろいろ》あってな…
小《しょう》6の時《とき》から学校《がっこう》に来《こ》なくなったんだ…
ピエーン
一体《いったい》それがどうしたんだ?
クラス対抗《たいこう》マッチが明日《あした》あるんですが
それにはクラス全員参加《ぜんいんさんか》っていう出場条件《しゅつじょうじょうけん》があるんですよ…
出場条件
クラス全員参
入賞賞品
優勝賞品《ゆうしょうしょうひん》はなんと…
あの『うまかっちゃん』※なんですよー!!
うまかっちゃん
ドオ
オオオオ
な…何《なに》いいいいいいいいいっ!?
俺が全力でアルミンを学校に連れてくるぜえええ!!
おおおさすがエレーン!!

※九州地区《きゅうしゅうちく》で絶大《ぜつだい》な人気《にんき》を誇《ほこ》るラーメン。九州出身《きゅうしゅうしゅっしん》の諫山先生《いさやませんせい》も中川先生《なかがわせんせい》も、もちろん大好《だいす》き。毎日《まいにち》でも食《た》べたいのに、東京《とうきょう》ではなかなか食《た》べることができず苦《く》悩《のう》の日々《ひび》を送《おく》っている。言《い》わずもがな、エレン達《たち》も「うまかっちゃん」の虜《とりこ》である。

3時間目《じかんめ》 じじい・アルレルト

アルレルト
ピンポーン
ごめん下《くだ》さーい
出《で》てくるかなアルミン…
あいつが学校《がっこう》に来《こ》なくなってからもう1年《ねん》か…
はーい
ガチャッ
あアル…
何《なん》の用《よう》かねえ…
……
あの…オレ達《たち》アルミンを学校《がっこう》に連《つ》れていきたくて…
何《なに》いっ!?
そそれはならん!帰《かえ》るんじゃ!!
孫《まご》は深《ふか》く傷《きず》つき…心《こころ》を痛《いた》めておる…
どう～ても中《なか》に入《はい》りたければ
このわ～を倒《たお》～ていくがいい…!!

……そう……
あ。
本当《ほんとう》にいいんですか？
ペキ
…………
……え……
……ちょっと……
そんなに孫《まご》に会《あ》いたいなら仕方《しかた》ない…
入《はい》るがええ…
ご理解《りかい》いただいてありがたいです
アルミン
ここが孫《まご》の部屋《へや》じゃ
アルミーーン!!
友達《ともだち》が（ムリヤリ）遊《あそ》びにきたぞーーー!!
アルミン
ガタァッ
ええっ!?

誰《だれ》も入《い》れないでって
言《い》っただろ!!
じいちゃん!!
い いやしかし…
じいちゃんの命がここ
アルミン!!
小学校《しょうがっこう》ぶりだな!
オレだ! エレンだ!!
!!
ど どうしたの?
エレン…急《きゅう》に…
色々《いろいろ》あってな…
お前《まえ》を…
中学校《ちゅうがっこう》に連《つ》れて
いこうと思《おも》ってよ
(うまかっちゃんのために)
…学校《がっこう》の
先生《せんせい》に言《い》われて
来《き》たの…?
いやちがう
オレ達《たち》の意志《いし》で
ここに来《き》た!!
なんかの
罰《ばつ》ゲームとか…?
ちがう
ちがう!!
開《あ》けたらクラス全員《ぜんいん》から
チェリーパイ投《な》げられ
たりしない…?
するわけ
ねえええ!!
……
……

なんか
エレンのこと
信用《しんよう》できない…
アァァァン
ガァ
おいちょっと
どういうことだよ!?
お願《ねが》いアルミン…
話《はなし》を聞《き》いて
おっ
エレンの言《い》うことが
薄《うす》っぺらい感《かん》じが
するのはわかるけど
今日《きょう》のエレンは
ちゃんと考《かんが》えて
ここに来《き》たの
だから
信用《しんよう》してあげて
お前《まえ》も何《なん》てこと
言《い》ってんだ!!
…ミカサが
そう言《い》うなら…
ガチャッ
ありがと
納得
いかねー!!
パタン
……
そうか…
クラスマッチで
優勝《ゆうしょう》するために
どうしても学校《がっこう》に
来《き》てほしいのか…

ムリ
グスン…
いやアルミンそんなこと言《い》わずに…
だって僕《ぼく》がいたらどうせ優勝《ゆうしょう》できないよ!!
2人《ふたり》とも覚《おぼ》えてるだろ?
僕《ぼく》の心《こころ》がへし折《お》れたあの日《ひ》のことを…

小《しょう》6の春《はる》
僕《ぼく》たちの出身校《しゅっしんこう》
シガンシナ小《しょう》では
ワー
ワー
クラス対抗《たいこう》
ドッジボール大会《たいかい》が
行《おこな》われた
僕達《ぼくたち》3人《にん》は
同《おな》じクラスで…
他《ほか》と比《くら》べると
体育会系《たいいくかいけい》の
クラスメイトが多《おお》く
6年生《ねんせい》の中《なか》では
優勝候補《ゆうしょうこうほ》の
クラスだったが——…
邪魔《じゃま》になる
あっ
うわっ
ポコッ
ドガッ
何《なに》もない所《ところ》で
転《ころ》ぶ
えっ!?
ボンッ
うわーっ
ステーン
泣《な》く
アルミン
大丈《だいじょう》…
ガッ
うわあああん
ピッ
イェーガー
ラインごえ
反則!!
あ
——そして僕《ぼく》の
天性《てんせい》のドジ能力《のうりょく》と
ヘタレ気質《きしつ》のせいで
うちのクラスは
とうとう——

僕《ぼく》以《い》外《がい》全《ぜん》滅《めつ》してしまった──
…っ
ええええええ…何《なん》で
こんなことに…
ふる
ふる
ふる
早《はや》く当《あ》たって楽《らく》になりたい
でも自分《じぶん》から当《あ》たりにいったら
みんなに失礼《しつれい》だし何《なん》とか
避《よ》け続《つづ》けないと……
アルミン!!
はっ

エ　エレン…
なんとか内野《ないや》に戻《もど》ってきてやるから
それまで耐《た》えてくれアルミン!!
うわぁ
あああ
ヒュッ
そ　そんなの無理《むり》だよ——!!
大丈夫《だいじょうぶ》だ!!
ボールを取《と》ろうとしなくていいから
とにかく……避《よ》け続《つづ》けろ!!
アルミンなら絶対《ぜったい》できる!!
オレ達《たち》はお前《まえ》のこと信《しん》じてるからな!!
僕《ぼく》が勝手《かって》に
思《おも》い込《こ》んでただけだ
勝手《かって》に…自分《じぶん》は無力《むりょく》で足手《あしで》まといだと
2人《ふたり》はそんなこと思《おも》ってなかったのに
これ以上《いじょう》の説得力《せっとくりょく》がどこにある…

エレン…
ミカサ…
僕《ぼく》に命《いのち》を任《まか》せると言《い》っている2人《ふたり》は…僕《ぼく》が…
この世《よ》で最《もっと》も信頼《しんらい》している人間《にんげん》だ…
僕《ぼく》はやるよ!!
そうだ―― 落《お》ち着《つ》いて…ボールを避《よ》けるんだ
そして―― あわよくばボールを取《と》って
外野《がいや》に回《まわ》すことができれば――
ポロッ
あっ
投《な》げ損《そん》じたゆるいボール…
!!
これなら……
これなら僕《ぼく》にも取《と》れ――

る——
ビダアアアァンッッ
ポロッ
バタッ
アウトー!!

体育会系《たいいくかいけい》が大半《たいはん》を占《し》める クラスでの この出来事《できごと》は あまりにも大《おお》きな痛手《いたで》だった
クラス内《ない》での肩身《かたみ》は 狭《せま》くなり…ついたあだ名《な》は
「ゆるい球顔面《たまがんめん》アウト」
運動《うんどう》が できない上《うえ》に 元々《もともと》 引《ひ》っ込《こ》み思案《じあん》 だった僕《ぼく》は――
ビエーーン
どんどん内《うち》に こもるように なっていった――…
こんな…
ギュッ
こんな僕《ぼく》に 学校《がっこう》に来《こ》いって 言《い》うの？
たとえ 全員《ぜんいん》そろって いたって 僕《ぼく》がいたら 優勝《ゆうしょう》なんて絶対《ぜったい》 できない…

また…また みんなに
迷惑《めいわく》をかけて 終《お》わるだけだ…
アルミン
ぶぎゅうっ
いたあーい!!
確《たし》かにアルミンは ドジでヘタレで驚異《きょうい》の 運動《うんどう》オンチで
クラスマッチでは きっと…
みんなの足《あし》を 引《ひ》っ張《ぱ》ることになる
ダバ
やっぱり そう思《おも》って たんだー!!
でも… でもアルミン
そんなことは 気《き》にしなくていい
大丈夫《だいじょうぶ》…
みんな… アルミンのこと ちゃんと受《う》け入《い》れて くれるから…

うちのクラスには人目《ひとめ》を気《き》にしないカップルや
コランツって…ホント世界一ボーズが似合うよね…
……
ハンチも日に日にかわいさが増していくね…もしかして…妖精なの？
今日のお昼はなんと…！セブ●のメロンパンとロー●ンのメロンパンとフ●ミマのメロンパンですよ
どんなに頼んでもあげませんよ ふへへ
いらない
食《た》べ物《もの》のことしか考《かんが》えてない子《こ》
ダメだ…全くわからん
俺にはお前がわからん
数学
バカ
色《いろ》んな人《ひと》がいて色々《いろいろ》なことが起《お》こるけど
みんなそれを認《みと》め合《あ》って一緒《いっしょ》にいるの
運動《うんどう》オンチなんて気《き》にしなくていい…
自信《じしん》を持《も》って学校《がっこう》に来《き》て
あなたが気《き》にしていることは とても些細《ささい》なことだと…きっとわかるから

そうだ
アルミン
そっ
失敗《しっぱい》しても
気《き》にすることは
ねえ…
オレたちが一緒《いっしょ》に
いるんだからな!!
たとえお前《まえ》がどんなに
ヘマやったって絶対《ぜったい》にうちの
クラスを優勝《ゆうしょう》させる!!
だから
アルミン…
胸《むね》張《は》って
学《がっ》校《こう》に来《こ》い!!
………
2人《ふたり》共《とも》…
グスッ…

僕《ぼく》……
学校《がっこう》に行《い》くよ…
優勝したらうまかっちゃんもらえるんだぜー
えー店で買えばいいじゃーん
アハハハハハハ
次《つぎ》の日《ひ》
点呼《てんこ》とるぞー
はーい
コニー・スプリンガー
はい
サシャ・ブラウス
はぁい
マルコ・ボット
はい
…アルミン・アルレルト
…はい!
!?
アルレルト…お前《まえ》学校《がっこう》に…

来《き》てくれ…
はい先生《せんせい》!
みんなでクラスマッチ優勝《ゆうしょう》しましょう!
ギュッ
そ…そうだな!!
おふとん…
君《きみ》がアルミン…
よく来《き》てくれたね これでちゃんと出場《しゅつじょう》できるよ!!
あんま無理《むり》しないようにな
ふとんかぶってるし
一緒《いっしょ》に頑張《がんば》ろう!!
すごい…クラスのみんな温《あたた》かい人《ひと》ばかりだ……
(まるでこのお布団《ふとん》のように)
僕《ぼく》…やるよ…頑張《がんば》るよ!
絶対《ぜったい》…絶対《ぜったい》このクラスで優勝《ゆうしょう》するんだ!!
みんな…まだ点呼《てんこ》終《お》わってないぞ!!
エレン・イェーガー!!

すっ
え……
寝《ね》坊《ぼう》です
うわあああああああ
エレンのあほおおおお
ギァアアアアアアアア
エレーン 学校はー!?
フゴー
ラーメン うまー
何《なに》あれ? 4組《くみ》?
早くこい バカァァァァ!!
うまかっちゃああん
まったく何《なに》を騒《さわ》いでんだか…

しんげき!
おまけげきじょう① なんだそのおふとんはぁ!?

クラスマッチ前日《ぜんじつ》
エレンは間違《まちが》っても
遅刻《ちこく》などしないよう
就寝前《しゅうしんまえ》に万全《ばんぜん》を
期《き》していた
枕元《まくらもと》に着替《きが》えの
ジャージを置《お》き…
ベッドからドアまでの
ルートにある遮蔽物《しゃへいぶつ》を
すべて退《しりぞ》け…
起床《きしょう》の要《かなめ》 目覚《めざ》まし時計《どけい》は
午前《ごぜん》6時《じ》にセットし
スヌーズも1分《ぷん》ごとに
10回設定《かいせってい》…!!
そして眠《ねむ》りについたのだった
すぴー
フゴー
モガー
——が
目覚《めざ》まし時計《どけい》は
……
既《すで》に半年前《はんとしまえ》から電池《でんち》が
切《き》れていたのだった!!
どうしてこんな日に
ちこくすんだよー!!
エレンのバカー!!

4時間目《じかんめ》　目覚《めざ》まし時計《どけい》の罠《わな》

先生《せんせい》!!
うちのクラスは試合《しあい》には出《で》られないんですか…?
……
イェーガーには来《く》る意志《いし》があったようだし…
出席簿《しゅっせきぼ》は全員出席《ぜんいんしゅっせき》で出《だ》しておいたから試合《しあい》には出《で》られる
!!
じゃじゃあ…
だが……
過去《かこ》にも一度《いちど》似《に》たようなことがあって
不正《ふせい》がバレたクラスは当然《とうぜん》試合《しあい》への出場《しゅつじょう》を辞退《じたい》させられ…
ゴクリ…
それから当分《とうぶん》学校中《がっこうじゅう》から白《しろ》い目《め》で見《み》られることになった…
だからイェーガーが遅刻《ちこく》してくることは口外《こうがい》しないように!
ハイ!!
ざわ
ざわ
あ…ミカサ…
もしかして…
4組試合始まるよー

ピーッ
一回戦《かいせん》
4組対《くみたい》1組《くみ》
試《し》合《あい》開《かい》始《し》!!
おりゃ!!
ヒュッ
ほい!!
よっしゃ!!
ザシィッ
あいつはバカだが運動《うんどう》はできる
まともにやってりゃ
間違《まちが》いなくうちの主戦力《しゅせんりょく》だ!
そうだ…まともにやって…
いけ!!
ブンッ

えっ!?
パシッ
敵《てき》の外野《がいや》
何《なに》やってんだコニー!!?
えっ!?
そっち外野《がいや》だよ!
もももしかしてドッジボールのルール…
わりぃ!「ドッジ」って何《なん》だ!?
?
ボールは知ってるけど…
バカー!!
「ガイヤ」って…?
僕《ぼく》…隅《すみ》でコニーにルール教《おし》えてくる
頼《たの》むマルコ…
まさかコニーが想像《そうぞう》を絶《ぜっ》するバカだったとは…
そうか…ボールは人にぶつけるのか…
なんで真っ先にボールとったの…
クソ…今《いま》さら言《い》っても仕方《しかた》ねぇ!
逆《ぎゃく》に言《い》えばあいつ以上《いじょう》のバカは(多分《たぶん》)もういない…
これ以上《いじょう》あんなことは…
サ ササシャ!?

なんでこんな時《とき》に一生懸命《いっしょうけんめい》焼《や》きそば食《く》ってるの!?
フガフガ
なぜ焼《や》きそばをこんな時《とき》に食《く》ってるのか…? モグモグモグ
仕方《しかた》ないじゃないですか
モグモグ
冷《さ》めた焼《や》きそばはおいしくないですから!!
じゃあ試合《しあい》終《お》わってから買《か》ってよ!?
だって…試合直前《しあいちょくぜん》に焼《や》きそばが校門前《こうもんまえ》で売《う》られ始《はじ》めたら…買《か》うしかないじゃないですか…!!
やきそばー!?
元祖
やきそ
いや…全然《ぜんぜん》そんなことないから!!
大体《だいたい》そんな状態《じょうたい》じゃ試合中《しあいちゅう》まともに動《うご》けないだろ!?
えーそうかな…
あっ!!
かわした…!

どうです…私《わたし》の身《み》のこなしは?
ボーーンッ
うわ
たとえ…焼《や》きそばを食《く》いながらでも…私《わたし》は戦《たたか》える!!
ムシャアッ
なおさら両手《りょうて》を空《あ》けてほしいよ
ドッジは避けのスポーツです
フラッ
相手へらないじゃん…
クソ……なんでうちのクラスは動《うご》ける奴《やつ》に限《かぎ》って
ギリリ…
みんなひどくバカなんだ!!?
誰《だれ》か まともな奴《やつ》は…
そうだ…ミカサだ!! あいつならまともに いやそれ以上《いじょう》に戦《たたか》えるはず!
もうあいつ(と俺《おれ》)しかいねぇ……!!

ポーン
ヒュッ
ナイキャッチ
とれた
ポコッ
え……？
ミカサ…なんだか…
すげー弱《よわ》くなって…
……
実《じつ》はミカサ…朝《あさ》から一定時間《いっていじかん》…エレンとの接触《せっしょく》を断《た》つと
知力《ちりょく》と体力《たいりょく》が通常時《つうじょうじ》の30％まで落《お》ちこむんだ
はっ!?
だるい
通常時《つうじょうじ》の30％って一体《いったい》どれくらいの力《ちから》になるんだ…？
元《もと》のミカサの能力《のうりょく》を考《かんが》えると
それでも人並《ひとな》みに力《ちから》はあるんだけど…でもそれ以上《いじょう》に問題《もんだい》なのは…

全身《ぜんしん》から
はぁ…
ものすごい愁《うれ》いに満《み》ちたオーラを発《はっ》するんだ!!
とてもこないだまで小学生《しょうがくせい》やってたとは思《おも》えない哀愁《あいしゅう》だよ
……
それって要《よう》はエレンがいなくてやる気《き》が出《で》ないってことだろ!!
どうにかなんねーのかよ!!
こればっかりはどうしようも…
更《さら》にミカサの哀愁《あいしゅう》オーラにはもの凄《すご》い力《ちから》があって…
小学校《しょうがっこう》の時《とき》にエレンが風邪《かぜ》で学校《がっこう》を休《やす》んだことがあって…
ミカサが一日《にち》哀愁《あいしゅう》を漂《ただよ》わせながら過《す》ごしていたら…
学校《がっこう》が終《お》わる頃《ころ》には——
クラス全員《ぜんいん》が愁《うれ》いに満《み》ちた表情《ひょうじょう》を浮《う》かべていたんだ!!
今日も一日生きられた…
な…
なんじゃぁそりゃああぁあぁぁあぁ!!
この後《あと》なんとか勝《か》ちをもぎとった4組《くみ》だったが——…

試合《しあい》が終《お》わる頃《ころ》には――
俺達は…
なぜ戦わなければいけないんだ…?
どうして…
どうして焼きそばは食べるとなくなるんです…?
クラス全員《ぜんいん》がただならぬ哀愁《あいしゅう》オーラを放《はな》っていたのだった
※コニーは除く
どうしたみんな!
なんか顔が険しいぞ!!
うっ
クソ…
まさかあんなに苦戦《くせん》するとは…
せめてミカサが万全《ばんぜん》なら何《なん》とかなるかもしれないけど
…
……
エレンの野郎《やろう》がいれば…
考《かん》えても仕方《しかた》ねぇ…もう次《つぎ》の対戦相手《たいせんあいて》に集中《しゅうちゅう》するんだ!
この試合《しあい》で勝《か》った方《ほう》が俺達《おれたち》とぶつかる――…!
一回戦第《かいせんだい》2試合《しあい》 2組《くみ》対《たい》3組《くみ》
試合開始《しあいかいし》!!

ブンッ
ドバッ
うあっ!!
バチィッ
ビシッ
なっ…
2人同時《ふたりどうじ》に…!?
あっ!
!!
パシッ
あ…ありがとう
ベルトルト…
う…うん
これで
セーフだね!
…
こ これがいわゆる
チームプレイ…!!

ほら いいから さっさと投げな
う…うん
ぐっ!!
そ…そうだ… これが… これこそが…
ドッジボールの 試合《しあい》…!! 試合中《しあいちゅう》に焼《や》きそばを 食《く》ったりしない…!!
おふっ!!
悪《わる》い…こんな簡単《かんたん》な球《たま》 取《と》り損《そこ》ねちまった…
アニ…後《あと》は お前《まえ》に任《まか》せた…
……
仕方《しかた》ないね

ガッ
ドッ
え……
ええ——っっ!!?

2組《くみ》全《ぜん》員《いん》アウト!!
3組《くみ》の勝《か》ち!!
けっこう楽《らく》な試合《しあい》だったね
ああ…アニの最後《さいご》の一発《いっぱつ》はさすがだ
別《べつ》にそんな…
……
勝《か》てる気《き》がしねええええ!!!
クソ…やっぱりあいつが…
エレンがいればミカサが…
そういえば次《つぎ》の相手《あいて》は?
確《たし》か4組《くみ》だよ!
クソッだれぇぇぇ
ピクッ
4組《くみ》?

4組《くみ》って言《い》ったら
あの…
なんかあっちから ドス黒いオーラが…
チ・・・・・チーハン野郎が いるクラス…!!
こんなこともう…
忘《わす》れようと 思《おも》ってたのに…!!
あれは入学式《にゅうがくしき》の 翌日《よくじつ》…
授業《じゅぎょう》で 自己紹介《じこしょうかい》をした 日《ひ》のこと…
始業前《しぎょうまえ》
昨日《きのう》の 入学式《にゅうがくしき》笑《わら》った よなー
あの チーハン野郎《やろう》の ことだろ?
この年《とし》であんなに チーズハンバーグに 執着《しゅうちゃく》するのどーよ!!
チーズ ハンバーグ だぜ!!
ちょっと ないよなー
時代《じだい》は 牛肉《ぎゅうにく》コロッケ だもんな!!
……
……は?
チーズハンバーグ好《ず》き
ふん…勝手《かって》に 言《い》ってればいいわ
所詮《しょせん》 人《ひと》の好《この》みの 問題《もんだい》だし…
チーズハンバーグが 好《す》きって人前《ひとまえ》で 言《い》わなければいいし
←やっぱりちょっと 恥ずかしい
自分《じぶん》でも この時《とき》は そう思《おも》って いた…
でも………
それじゃあ あなたから 自己紹介《じこしょうかい》して ちょうだい
は…はい

私《わたし》…名前《なまえ》は クリスタ・レンズって 言《い》います
えーと…
好《す》きな食《た》べ物《もの》だけ 言《い》っておきますね!
アイスクリームと いちごが 好《す》きです!
この一言《ひとこと》で自己紹介《じこしょうかい》の 流《なが》れが決《き》まった——
かわいい…
天使…
俺《おれ》の好《す》きな 食《た》べ物《もの》は
骨付《ほねつ》き 肉《にく》だ!!
えーと…僕《ぼく》の 好《す》きな食《た》べ物《もの》は
ぎょうざ?
……
……サバみそうまい
ガアアン
完璧《かんぺき》に好《す》きな 食《た》べ物《もの》を言《い》う 流《なが》れになってるー!!
カレーが好きです!!
ハイ次ー!
じゃあ次《つぎ》は あなたね
は はい!
「今時《いまどき》チーズ ハンバーグって どーよ!?」
「時代《じだい》は 牛肉《ぎゅうにく》コロッケ!!」
ギャはははは
ガタ…
……
アニ・レオンハート と言《い》います…
……
…その…
チーズハンバーグの何《なに》が悪《わる》いのさ…

好《す》きな食《た》べ物《もの》は
もずく……です…
もずくが好きなんだー
もずくって何ー？
もずくかー
いや…もずくは2番目《ばんめ》だから…!!
ギリッ…
ほんとはチーズハンバーグが1番《ばん》なのに…
あいつが……
オレのチーズハンバーグを返しやがれ
あいつさえいなければ私《わたし》だって——
うん……別《べつ》に大丈夫《だいじょうぶ》
クリスタ～
…よかった
いや…試合《しあい》の前《まえ》にこんなもやもやしててもダメだ
大丈夫《だいじょうぶ》？
ちょっと行《い》ってくる
どこに…？
いっそのこと…
思《おも》ったこと全部《ぜんぶ》言《い》ってしまった方《ほう》が…
ちょっといいかい？

入学式《にゅうがくしき》で叫《さけ》んでた
チーズハンバーグに
会《あ》いたいんだけど
あいつ
どこにいるかな？
ビクゥゥゥ
…………!!
な…なんで
こいつエレンのこと!?
…え？
ナ…ナイスふとん!!
緊張《きんちょう》で腹下《はらくだ》してた
っぽいしなー
アハハハハハハハ
試合中《しあいちゅう》もずっと
トイレだったもんね
多分《たぶん》…当分《とうぶん》は
帰《かえ》ってきませんよぉぉ
もしかして
あいつ…いな…
エ エレンなら
今《いま》はトイレだよ!!
そう…
なんて小心…
じゃあ…一言《ひとこと》
伝《つた》えてもらって
いい…？
う…うん
「私《わたし》は入学式《にゅうがくしき》の
あのチーハン発言《はつげん》の
せいで
苦汁《くじゅう》をなめさせ
られた…
ザッ…

その恨《うら》みを晴《は》らすため…次《つぎ》の試合《しあい》は
全力《ぜんりょく》でお前《まえ》を潰《つぶ》しにかかる!!
首《くび》を洗《あら》って待《ま》っていろ!!」
…ってね
……
それじゃあ
一体《いったい》……
何《なに》があったんだあの人《ひと》…
ただでさえミカサがこんな状態《じょうたい》で試合《しあい》が不利《ふり》だったのに…
寒い…
このままだと次《つぎ》の試合《しあい》でエレンがいないことがバレて失格《しっかく》になっちまう…!!
一体《いったい》何《なに》やってんだよあいつはっっ…!!
エレンのバカァァァァ
早く来おおおおい～
ギリ…
パチ
まだ4時《じ》なのか…

諫《いさ》山《やま》創《はじめ》×中《なか》川《がわ》沙《さ》樹《き》『進《しん》撃《げき》』について語《かた》る！ 2

——初《はじ》めての『進撃中《しんげきちゅう》』

い：初《はじ》めての打《う》ち合《あ》わせで、中川《なかがわ》さんがキャラ表《ひょう》を何《なん》パターンか作《つく》ってきてくれましたよね？

な：頭身《とうしん》を変《か》えて3パターンほど描《か》きました。諫山《いさやま》さんに見《み》てもらうからと気合《きあい》を入《い》れて描《か》いたのに、あんなことになって…。

い：え、何《なに》かあったっけ？

な：打《う》ち合《あ》わせを途中《とちゅう》で抜《ぬ》けて帰《かえ》ったじゃないですか！

い：……そうだ。あまりに歯《は》が痛《いた》くて、急《いそ》いで病院《びょういん》に行《い》ったんだ！

な：すごく緊張《きんちょう》して臨《のぞ》んでたのに「え、途中《とちゅう》で帰《かえ》っちゃうんだ」って思《おも》いました（笑）。

い：病院《びょういん》に行《い》ってみたら、2本《ほん》以外《いがい》全部《ぜんぶ》虫歯《むしば》でした…。

な：連載作家《れんさいさっか》さんって大変《たいへん》なんだな～と思《おも》った記憶《きおく》があります。

——スピンオフ『進撃中《しんげきちゅう》』への思《おも》い

い：同《おな》じ雑誌《ざっし》の中《なか》で『進撃《しんげき》の巨人《きょじん》』以外《いがい》の場所《ばしょ》にエレンがいるというのは不思議《ふしぎ》な気《き》持《も》ちです。中川《なかがわ》さんはどんな気持《きも》ち？

な：今《いま》までは一読者《いちどくしゃ》として「『進撃《しんげき》』面白《おもしろ》っ！」と思《おも》っていたのが、今《いま》は『進撃《しんげき》の巨人《きょじん》』を読《よ》むのが少《すこ》しだけ怖《こわ》いです。

い：え？

な：自分《じぶん》の中《なか》で想定《そうてい》しているキャラクター像《ぞう》が原作《げんさく》と違《ちが》っていたら「失敗《しっぱい》した！」と思《おも》ってしまうので。

い：そんなの気《き》にしなくていいですよ。『進撃《しんげき》の巨人《きょじん》』のTV《テレビ》アニメに関《かか》わらせていただいて、キャラってのは自分《じぶん》の中《なか》にだけあるものではないんだって気付《きづ》いたんです。

な：どういうことですか？

い：自分《じぶん》だけじゃなくて、みんなの知恵《ちえ》を結集《けっしゅう》することで生《う》まれる魅力《みりょく》もあるんだな～と思《おも》うんです。

な：そう言《い》っていただけると嬉《うれ》しいです！

い：『進撃中《しんげきちゅう》』でエレン達《たち》が巨人《きょじん》の教室《きょうしつ》に潜入《せんにゅう》した回《かい》を読《よ》んだ時《とき》は「これは自分《じぶん》では思《おも》いつかない」と感心《かんしん》しましたよ。

な：あれは担当《たんとう》さんとの打《う》ち合《あ》わせでも1発《ぱつ》OKをもらったので、自分《じぶん》としても感慨《かんがい》深《ぶか》い回《かい》です。

い：エレンが巨人《きょじん》にアマガミされて吐《は》き出《だ》されるシーンも印象的《いんしょうてき》だよね。

な：あの回《かい》は、諫山《いさやま》さんから「エレンがアマガミされて吐《は》き出《だ》されると、携帯《けいたい》が故障《こしょう》してしまう」というネタを提案《ていあん》された記憶《きおく》があります。

い：結局《けっきょく》は携帯《けいたい》のネタが中華丼《ちゅうかどん》ネタに変《か》わったことを考《かんが》えると、僕《ぼく》はあまり力《ちから》になれてないですね（笑）。

←P124につづく

ハァ
ハァ
クソ…まさか
まさか普段《ふだん》一切《いっさい》遅刻《ちこく》しないオレが…全員参加《ぜんいんさんか》が必須条件《ひっすじょうけん》の球技大会《きゅうぎたいかい》の日《ひ》に限《かぎ》って遅刻《ちこく》するなんて…!!
うおおおお
クソッ!もうなりふり構《かま》わず全力《ぜんりょく》で走《はし》るしかねぇ!!
今《いま》のオレを止《と》められる奴《やつ》がいるとしたら「人身事故等《じんしんじこなど》によるやむを得《え》ない交通規制《こうつうきせい》」か…
ヒーッ
ヒーッ
「道端《みちばた》で産気《さんけ》づいている妊婦《にんぷ》」……それだけだ…!!
でもそんなの滅多《めった》に遭遇《そうぐう》するわけな…
ヒーヒーフーッ
ヒーヒーフーッ
ヒーヒー
てめーはただの食い過ぎだろぉがあぁぁ!!
しかも巨人《きょじん》

5時間目《じかんめ》　ふざけた巨人《きょじん》は2度《ど》姿《すがた》を現《あらわ》す

どうすんだよ本当《ほんと》に!!
今《いま》からエレンが来《く》る確証《かくしょう》も…
次《つぎ》の試合《しあい》までに連《つ》れてくる時間《じかん》もねぇ…
……
何《なん》とかして隠《かく》さねぇと…
あれ…アルミンなんでジャージかぶって…布団《ふとん》は…
あぁ…
ミカサに奪《うば》われたんだ
……
どよおおおぉん
更《さら》にダメになってるー!!
もう試合《しあい》に出《で》るどころじゃないだろ これ…
僕《ぼく》ももうどうすればいいのかわからないよ…
とりあえずミカサのことは置《お》いといて…
何《なん》とか次《つぎ》の試合《しあい》をやりすごすために…
エレンの身代《みが》わり作戦《さくせん》を考《かん》えたんだ!!
み…身代《みが》わり!?

要《よう》はあの人《ひと》に試合中《しあいちゅう》にエレンがいると思《おも》わせればいいんだから
ゴゴゴゴゴゴ
誰《だれ》かがエレンのフリして出場《しゅつじょう》すれば何《なん》とかなるはず
僕《ぼく》の中《なか》では最適《さいてき》な人物《じんぶつ》がもう決《き》まってるんだ
それは……
ジャン!!
バァァァァアアアァン
君《きみ》だよ!!
…は?
小学校《しょうがっこう》からエレンと一緒《いっしょ》だった僕《ぼく》にはわかる…
背格好《せかっこう》だけじゃない雰囲気《ふんいき》や性格《せいかく》まで…
はっ?
何言ってんだ?
何《なん》だかすごくエレンに似《に》てるんだよ!!
はあぁ!?
んなわけあるか てめぇ!! ふざけんな!!
もう…文句《もんく》を言《い》ってる場合《ばあい》じゃありませんよ
!!

イギャアアアアアアア
あれは4組《くみ》がいる方《ほう》…
おっアニ やっと戻《もど》ったか
どこ行《い》ってたんだ?
ちょっと4組《くみ》の所《ところ》にね
あぁ…次《つぎ》の対戦相手《たいせんあいて》の…
試合前《しあいまえ》の挨拶《あいさつ》にでも行《い》ってきたのか?
いや…別《べつ》に…
そうか…そう言《い》えば4組《くみ》と言《い》えばあの——
入学式《にゅうがくしき》の時《とき》のチーズハンバーグの奴《やつ》がいるクラスだよな
そうそうそのクラスだよ
体育会系《たいいくかいけい》の人《ひと》が多《おお》いらしいけど試合結果《しあいけっか》は振《ふ》るってなかったなぁ
ザワ
ザワ
……
あっでもさっき…
その彼《かれ》について噂《うわさ》を聞《き》いたんだけど…

4組《くみ》と試合《しあい》した
クラスが言《い》って
たんだ
そのチーズ
ハンバーグの人《ひと》が
いなかったような
気《き》がしたって…
まさか…
そんなの気《き》のせい
だろ…
そ そうだよね
だってそんなこと
したら失格《しっかく》に…
……
試合中《しあいちゅう》も
ずっとトイレ
だったもんね
エ エレンなら
今《いま》はトイレだよ
多分《たぶん》…当分《とうぶん》は
帰《かえ》ってきませんよぉぉ
ダッ
あいつら…
もしかして…!!
お おい
アニ!!
もうすぐ
試合だぞ――!!

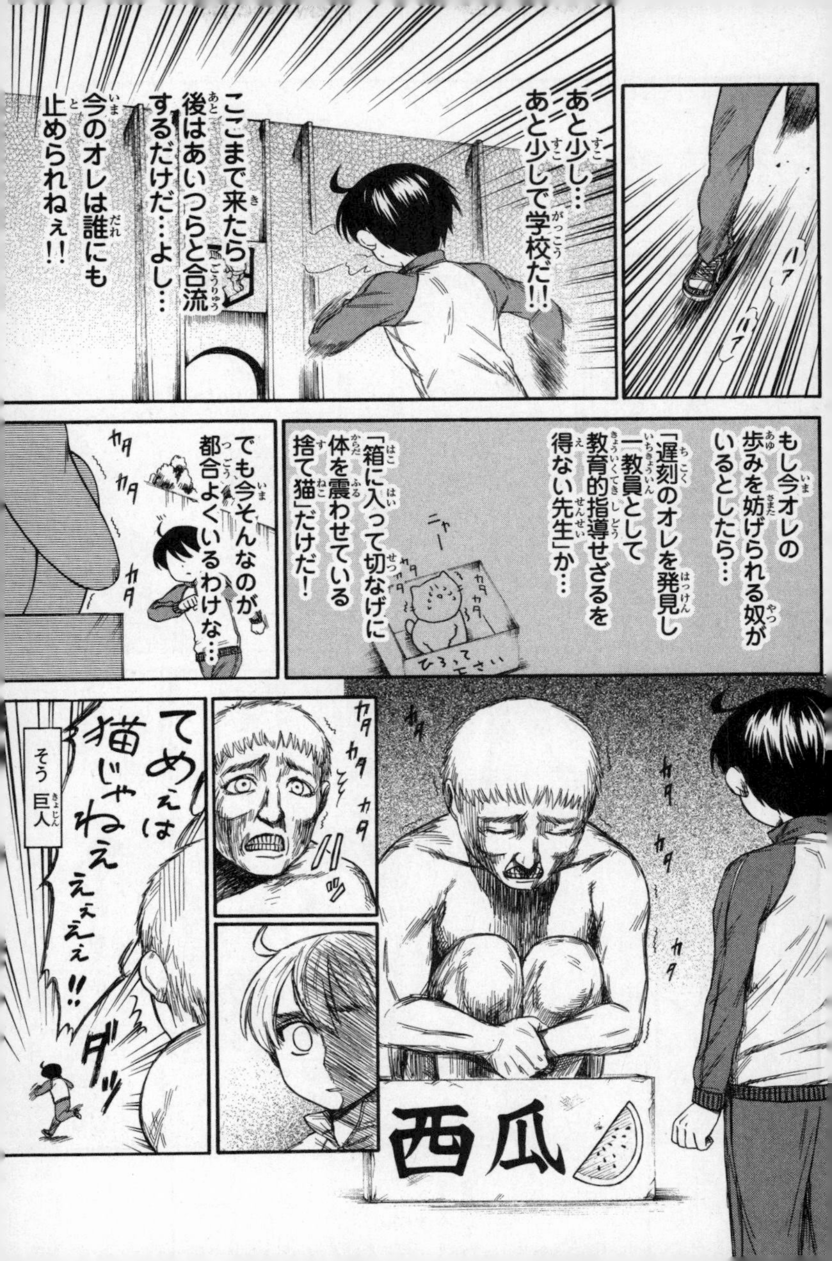
ハァ
ハァ
あと少《すこ》し…
あと少《すこ》しで学校《がっこう》だ!!
ここまで来《き》たら後《あと》はあいつらと合流《ごうりゅう》するだけだ…よし…
今《いま》のオレは誰《だれ》にも止《と》められねぇ!!
もし今《いま》オレの歩《あゆ》みを妨《さまた》げられる奴《やつ》がいるとしたら…
「遅刻《ちこく》のオレを発見《はっけん》し一教員《いちきょういん》として教育的《きょういくてき》指導《しどう》せざるを得《え》ない先生《せんせい》」か…
「箱《はこ》に入《はい》って切《せつ》なげに体《からだ》を震《ふる》わせている捨《す》て猫《ねこ》」だけだ!
ニャー
カタ
カタ
カタ
カタ
ひろって下さい
カタ
カタ
カタ
でも今《いま》そんなのが都合《つごう》よくいるわけな…
カタ
カタ
カタ
カタ
西瓜
カタ
カタ
カタ
カタ
ハッ
そう 巨人《きょじん》
てめぇは猫じゃねぇぇぇぇぇ!!
ダッ

ジャンすごーい!!
そっくり!!
うそつけ!
そんなにあいつに似《に》てたまるかよ!!
いやいや誰《だれ》がどう見《み》てもエレンですよこれは……
やっぱりジャンに頼《たの》んで正解《せいかい》だったよ!!
こんなに似《に》てたらミカサもエレンだと思《おも》って元気《げんき》になるかもしれませんね!
なっ
そりゃそうなったら俺《おれ》も変装《へんそう》した甲斐《かい》があるけど…ま…まさかそんな…
ミカサ! 起《お》きて! エレンが来《き》ましたよ!!
……
ちがう…
え…ミ ミカサ…ちゃんと見《み》てくださいよ…
エレンの〝気《き》〟を感《かん》じない…
ボソ…
ザザッ
中身は似てるんですけどねー
はぁ!?
〝気《き》〟とか…
そういうレベルで判断《はんだん》してるのか…
エレン…

お話《はな》し中《ちゅう》のところ悪《わる》いけど
ちょっといいかい?
え——……
な 何《なん》でこの人《ひと》また——!?
さっき言《い》ってたチーハン野郎《やろう》のことだけど
一体《いったい》どうしたんだアニ…
まさかベルトルトが言《い》ってたこと真《ま》に受《う》けて…
あぁ…
さっき4組《くみ》に話《はな》しに来《き》た時《とき》の様子《ようす》と2人《ふたり》の言《い》ってた話《はなし》を聞《き》いて思《おも》ったのさ…
チーハン野郎《やろう》は学校《がっこう》に来《き》てない!!
そうじゃないのか!?
………
そ……
そんなことありません!!
エレンはちゃんとそこにいますよ!!
ビシィッ

ちょっ…
お前《まえ》……っっ
サアァァァァ
!!
……
へえ…
確《たし》かにこんな
感《かん》じだった気《き》も
するけど…
巨人ども
許さーん!!
こんな
こんな馬面《うまづら》じゃ
なかった気《き》もするし
……
クソ サシャのやつ…
急《きゅう》に振《ふ》られても
あいつになりきるなんて…
ギュッ
ねえ…
一つ聞《き》いて
いいかい?
好《す》きな弁当《べんとう》の
おかずは?
…え?
……
コロッケ
ジャン何
言ってるん
だー!!
そうだ「チーハン」…!!
……
やっぱり…

身代《みが》わりを用意《ようい》してまでだまそうとするなんて…
あいつがいないなら試合《しあい》をする理由《りゆう》も無《な》い…
もういい…学校《がっこう》に言《い》いつけてやる!!
…おおい
ちょ…
ちょっと待《ま》ったー!!
!?
エレン!!
てめぇ今頃《いまごろ》来《き》やがって…
わりぃみんな…
もう…ジャンにエレンの代《か》わりをしてもらったり色々大変《いろいろたいへん》だったんだよ!!
もしかしてそれオレのつもり…
似《に》るわけねーだろ!!ふざけんな!!
はぁぁあぁぁ!?
遅刻《ちこく》したてめーが悪《わる》いんだろうが!!
俺も不本意だっつの!!
ひっでー!!
……エレン?

エレン!!
バッ
おふとん!!
ミカサ!!
チッ
お前《まえ》何《なん》で布団《ふとん》かぶっ…
遅刻《ちこく》しちゃダメでしょ…?
はい…
ほんとですよ今更《いまさら》来《き》てー!!
一体《いったい》何《なん》で寝坊《ねぼう》したの?
……
目覚《めざ》ましの電池《でんち》切れてた
気《き》づけよバカ!!
ふとん…
ほんとに今《いま》来たのか…
じゃあ一回戦《かいせん》は不正《ふせい》なんじゃ…
……
せっかくチーハンが来《き》たんだ
どうせだから戦《たたか》ってやろうじゃないか…!
チーハン野郎《やろう》含《ふく》めて私達《わたしたち》はあんたら全員《ぜんいん》を絶対《ぜったい》許《ゆる》さない!
全力《ぜんりょく》でぶっ潰《つぶ》してやる…!!

望《のぞ》むところだ!!
どこの誰《だれ》だか知《し》らねぇが…オレ達《たち》は絶対《ぜったい》に勝《か》ちにいく!!
あれ…今…
誰か知らないつったよーな…
ピィーッ
ダッ
ドオッ
ビュッ
ザッ
エレン!!
あいつオレを露骨《ろこつ》に狙《ねら》いすぎだろ…!!
コロコロコロコ
ブォン

パシッ
チッ
そんな簡単《かんたん》に
やられやしないよ!!
その後《ご》両《りょう》クラス一歩《いっぽ》も譲《ゆず》らぬ攻防《こうぼう》が続《つづ》き──
ゴッ
試合《しあい》は制限時間《せいげんじかん》ギリギリまで行《おこな》われた──
そして──…

エレン!!
こんな時間《じかん》ギリギリで…!
てめーここで外《はず》したら終《お》わりだからな!!
う うるせー!!
てめーに言《い》われなくてもわかってるよ!!
向《む》こうもこっちも残《のこ》りは3人《にん》…
残《のこ》り時間《じかん》はわずか…
ここで取《と》らなきゃ勝《か》ちにいけない…!!
オレの一球《きゅう》で…
すべてが決《き》まる
絶対《ぜったい》…絶対《ぜったい》…
絶対《ぜったい》取《と》る…!!

フラッ
ポ
トッ
試合終了《しあいしゅうりょう》ー!!
残《のこ》り人数《にんずう》…
3組《くみ》2人《ふたり》!
4組《くみ》が
3人《にん》で……

4組《くみ》決勝進出《けっしょうしんしゅつ》!!
ワァア
ア
アアァァ
……まさか…あんな奴《やつ》らに負《ま》けるなんて
………負《ま》けは負《ま》けだよ
ただし…
あんたへの恨《うら》みを晴《は》らし損《そこ》ねた…
!!
次《つぎ》の機会《きかい》があったら容赦《ようしゃ》しない……覚悟《かくご》しておきな…!
お おう…
結局《けっきょく》こいつは誰《だれ》なんだ…?
アニ…恨みって一体何があったの…
い、いや大したことじゃないよ…
まぁ色々《いろいろ》危《あや》うかったがオレ達《たち》は決勝進出《けっしょうしんしゅつ》することができた
もう誰《だれ》が相手《あいて》だろうと怖《こわ》くないぜ…
どっからでもかかってこい!!

オオオオ
いや……
これは無《な》いだろ…

バ
ヒュッ
ドガアアァーンッ
3人《にん》でボール確保《かくほ》
いーか!?「せーの」だ!!「せーの」で投《な》げんだぞ!!
いくぞ!!
ガッ
あっ
ミシャァッ
ペ
そして当然《とうぜん》4組《くみ》は試合《しあい》に負《ま》け――
「一人遅刻《ひとりちこく》していたのに球技大会《きゅうぎたいかい》に出《で》ていた」という情報《じょうほう》がリークされ
昨日のさー4組一人きてなかったんだってー
はー?
うまかっちゃんほしさに…
なんてゲスな…
数日間学校《すうじつかんがっこう》で肩身《かたみ》の狭《せま》い思《おも》いをするのだった…

おいしい！
おまけげきじょう②

かわいそうなもずく

1年4組
というわけで明日《あした》は
巨人《きょじん》への見聞《けんぶん》を広《ひろ》めるため
「巨人《きょじん》の授業《じゅぎょう》」を見学《けんがく》に行《い》ってもらう
なにぃ!?
配《くば》ったプリントにグループが書《か》いてあるので…
うわー!! 私《わたし》エレンと同《おな》じ班《はん》になっちゃいました
ひぇー!!
ちくしょー!! 俺《おれ》もだ!!
うわあああああ
こいつとまともに巨人《きょじん》の授業《じゅぎょう》を見《み》れるわけがねー!!
えっ
巨人《きょじん》の見学《けんがく》って… 安全《あんぜん》は確保《かくほ》されてるのかな…
どういうことだてめー!
確《たし》かに巨人《きょじん》の授業風景《じゅぎょうふうけい》には興味《きょうみ》があるけど…
でではこの話《はなし》は以上《いじょう》だ!!
明日《あした》は弁当《べんとう》を絶対《ぜったい》に忘《わす》れないようにな!!
……
みんな…すまない…

6時間目《じかんめ》　だって巨人《きょじん》だもの

次《つぎ》の日《ひ》
うおー!!
進撃中学校《しんげきちゅうがっこう》
巨人棟《きょじんとう》
でけーッ!!
巨人《きょじん》の体長《たいちょう》は3～15mと個体《こたい》によって大《おお》きく異《こと》なるから
ほげー
体長《たいちょう》ごとに校舎《こうしゃ》が5つに分《わ》かれているんだ
見学のしおり
あっちが3～5mの巨人ので…
ゴソ
ゴソ

ここらへんならうるさいかな…
音がでかい!!
爆裂華火
ズズズ…
おいお前《まえ》何《なに》やってんだよ
は? 何《なに》ってお前《まえ》…
もう一個
爆裂華火
爆裂華火2
巨人棟《きょじんとう》に来《き》た記念《きねん》ついでに授業妨害《じゅぎょうぼうがい》の花火打《はなびう》ち上《あ》げに決《き》まってるだろうがぁ!!
シュボッ
やっぱ危険《きけん》だこいつっ!!
ちょっちょっとエレンやめ…
学校《がっこう》で花火《はなび》を上《あ》げたら危《あぶ》ない…
わかった?
し…
知《し》ってて上《あ》げてんだよ!!
母親みたいに言うな!!
よかったミカサも同《おな》じ班《はん》で…
1年8組
まず数学《すうがく》の授業《じゅぎょう》を見《み》るみたいだね

……
どうやって?
というか そもそも巨人《きょじん》って ほんとに勉強《べんきょう》してんのか?
あの見《み》た目《め》からは 知性《ちせい》のカケラも 感《かん》じられないよな
コフン
俺《おれ》あいつら よりは頭《あたま》いい自信《じしん》 あるぜ!
コニーに言《い》われたら おしまいですね…
え?サシャ それ どういう…
何でもない で~す
皆《みんな》 あれ…
人間用入口
!!
わざわざ こんなのが…
人間用入口
やっぱ毎年《まいとし》 やってるんだろうな
よし じゃあ あいつらのアホ面《づら》 拝《おが》んで…
ガ
チャッ

カリ
カリ
カッ
カッ
カッ
ものすごく真剣《しんけん》に…
授業《じゅぎょう》に取《と》り組《く》んでるじゃねえか…

カリ
……私《わたし》
あんな真剣《しんけん》に勉強《べんきょう》したこと無《な》いと思《おも》います……
俺《おれ》でもねぇよ……
俺《おれ》やっぱ巨人《きょじん》より頭《あたま》よくねぇかも…
あっ でも見《み》て!
やっぱり巨人《きょじん》の中《なか》にも
居眠《いねむ》りしてるのがいるみたいだよ!!
がくっ
ホッ…
一緒だ…
安心してる…
スッ

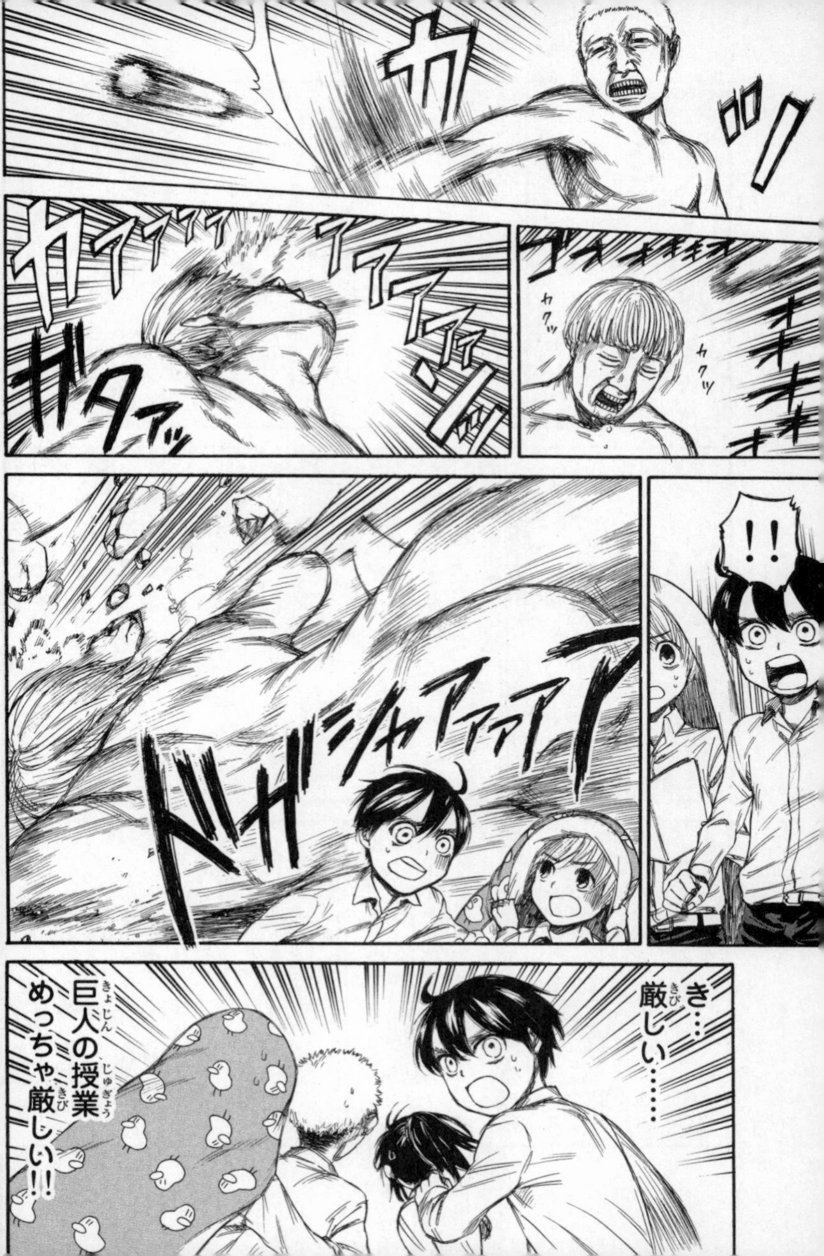

カ
ゴォォォォォ
カクッ
カクッ
ォォォォォ
カァァァァアァァァァンッ
ガタァッ
!!
ドガシャァァァァ
き…厳《きび》しい……
巨人《きょじん》の授業《じゅぎょう》めっちゃ厳《きび》しい!!

音楽室
まさかあんなハイレベルな授業《じゅぎょう》をしていたなんて…
人間はここから↓
高校受験《こうこうじゅけん》とか意識《いしき》してるんですかね…
1年《ねん》の時《とき》からか…
もう何《なに》もあいつらに敵《かな》わない気《き》がしてきた…
と とりあえず次《つぎ》は音楽《おんがく》の授業《じゅぎょう》見学《けんがく》だから…
早《はや》くみんな中《なか》に…
ポッ
ピッ
プフォーーッ
!!
エ エレン! それ……
おう
アルトリコーダー!?
このままだとあいつらにナメられちまうかもしれないからな…
オレの「エーデルワイス」で人間《にんげん》の威厳《いげん》を保《たも》っとくしかねぇ!!
やめなさい
恥ずかしいから
ガチャッ
まぁ音楽《おんがく》の授業《じゅぎょう》だし…
どんな内容《ないよう》でもゆっくり見学《けんがく》すれば…

ギャァァァァァ
アァァアァァー
ヴォォォォォォォォォォォォ
え……？
ライブ……？
イェェェェェェー
いいや何《なん》か……
先生《せんせい》っぽい巨人《きょじん》いるし
演奏《えんそう》してるのも
おそらく生徒《せいと》…
じゃあこれが……
巨人《きょじん》の音楽《おんがく》の
授業《じゅぎょう》…!?

しかも格好《かっこう》だけじゃない…
それぞれが高《たか》い技術《ぎじゅつ》を持《も》ったパフォーマーになってる…!!
クラス全体《ぜんたい》で音楽《おんがく》を楽《たの》しみ…
かつ技術《ぎじゅつ》も身《み》につき…
そして何《なに》より時代《じだい》と年齢《ねんれい》に則《そく》した授業《じゅぎょう》たりえている!!
なんて…
先進的《せんしんてき》な授業内容《じゅぎょうないよう》なんだ…!!
くっ…
エ…エレン…?
…まさか…こんな…
こんなんじゃアルトリコーダーで太刀打《たちう》ちできるわけないだろー!!
うわあああああ
そ そこー!?
そんなのみんな最初からわかってたよー!!
その後《ご》も巨人《きょじん》の授業《じゅぎょう》見学《けんがく》は続《つづ》き…

自刻像
当初《とうしょ》の予想《よそう》とは裏腹《うらはら》に高度《こうど》なカリキュラムをこなしている巨人達《きょじんたち》を見《み》て
ハァ ハァ
カタカタ
ターンッ
カタ カタ カタ カタ カタ
皆《みな》驚《おどろ》きと動揺《どうよう》を隠《かく》しきれず…また…
少《すこ》しずつ人《ひと》としての自信《じしん》を失《うしな》ってゆくのだった…
ザワ ザワ
巨人《きょじん》って凄《すご》いんですね…
勉強《べんきょう》も真剣《しんけん》にしてるし…
何《なん》か凄《すご》い箱《はこ》も使《つか》いこなしてたし…
ただでさえ巨人《きょじん》は恐《おそ》ろしい存在《そんざい》だったのに
その上《うえ》…勉強《べんきょう》もそれ以外《いがい》も俺達《おれたち》よりできて…
俺《おれ》あんな全裸《ぜんら》の奴《やつ》よりバカなのかよ…
グ……

これこそ…この見学《けんがく》の目的《もくてき》じゃないのか!?
人間《にんげん》が巨人《きょじん》に絶対逆《ぜったいさか》らわないように…
今《いま》のうちから巨人《きょじん》には敵《かな》わないという意識《いしき》を植《う》えつけてるんだ
えっ…
この学校《がっこう》の校長《こうちょう》は巨人《きょじん》なんだ…
わざわざ人間《にんげん》が入《はい》るための扉《とびら》まで作《つく》ってあって
そんな目的《もくてき》があってもおかしくねぇ…!!
エ エレンが
とても的《まと》を射《い》た発言《はつげん》してる…!!
だから一刻《いっこく》も早《はや》くこんな所《ところ》…
グギュルルルルゴポォ
……腹《はら》が減《へ》った…
ちょうどお昼《ひる》ぐらいですからね…
ゴモモモモ
グオォ
ギュウウゥ
バッ
そ そういえばこの場所《ばしょ》は…!!

巨人《きょじん》の授業《じゅぎょう》見学《けんがく》
最終《さいしゅう》地点《ちてん》
校舎
7~10M
5~7M
巨大樹の森
新入生のみんなはここで一緒にお昼して、イッキに親睦深めちゃお☆
「みんなでワイワイ☆お昼《ひる》スポット巨大樹《きょだいじゅ》の森《もり》」だよ!!
コピーがひどい!!
この説明《せつめい》だと普段《ふだん》巨人《きょじん》がここでお昼《ひる》を食《た》べているってことじゃ…
はあ!?
じゃあ今《いま》…近《ちか》くに巨人《きょじん》が来《き》て…
ガサッ

か…完全《かんぜん》に……
囲《かこ》まれちまった…
わっ私達《わたしたち》一体《いったい》何《なに》され…
わからねぇ
でも…とりあえず…
逃《に》げた方《ほう》がいい!!
ダッ
ザッ
あっ!!
うわぁっっ
ズシャアッ

アルミン!!
み　みんな先《さき》に逃《に》げて!!
僕《ぼく》に構《かま》ってたらみんなも逃《に》げ遅《おく》れ…

これが……
こいつらのやり方《かた》か……
──あの時《とき》と同《おな》じ……
人《ひと》の〝大切《たいせつ》なもの〟を奪《うば》って──
バッ
うわあああ

オレ達《たち》を・・・
屈服《くっぷく》させようとしやがるんだ!!!
うぅ・・・
……
お母《かあ》さんに…っ だし巻《ま》き多《おお》めに入《い》れてもらったのに…
俺《おれ》も…
家《いえ》が遠《とお》いから すげぇ早起《はやお》きして 作《つく》ってくれたのに…
クソッ…
俺《おれ》もたかが弁当《べんとう》だと思《おも》ってたが…
思《おも》った以上《いじょう》に 胸《むな》クソわりぃ じゃねぇか…
こんなことで 屈服《くっぷく》してたまるか――
ギ
絶対《ぜったい》に
許《ゆる》さねぇ…

オレ達《育ち盛りの中学生》から、
弁当《一番大切なもの》を奪《うば》うなんて
絶《ぜっ》対《たい》に許《ゆる》さない!!
グルギュルルルゴォオオ
うやぁあぁん
お腹へった
ああぁあぁ…
今年《ことし》もまたあれか…
ああ…
パタン
かわいそうに
早《はや》く何《なん》とかしてあげなくちゃねぇ

諫《いさ》山《やま》創《はじめ》×中《なか》川《がわ》沙《さ》樹《き》『進《しん》撃《げき》』について語《かた》る！ 3

——今後《こんご》について

い：ちょっと変《へん》な言《い》い方《かた》ですが、中川《なかがわ》さんには『進撃中《しんげきちゅう》』を踏《ふ》み台《だい》にしてほしいです。絶対《ぜったい》、変《へん》なものを描《か》けると思《おも》うので、オリジナル作品《さくひん》にチャレンジしてほしいですね。

な：それより、まずは『進撃中《しんげきちゅう》』を少《すこ》しでも長《なが》く描《か》きたいですよ。実《じつ》は諫山《いさやま》さんのある秘密《ひみつ》を握《にぎ》っているので、この作品《さくひん》が長《なが》く続《つづ》いてまた対談《たいだん》する機会《きかい》があったら、暴露《ばくろ》します！

い：な、何《なん》ですかそれ。ドキドキしますね…。でも、何《なに》はともあれ次巻以降《じかんいこう》もお楽《たの》しみにということですね！

な：皆様《みなさま》、よろしくお願《ねが》いいたします！

ザッ
ザッ
進撃中校内《しんげきちゅうこうない》のウォール・ローゼ
やっとここまで来《き》たか…
どっかのクソメガネが道草《みちくさ》くわなけりゃもっと早《はや》く着《つ》いたはずだと思《おも》うがな…
スンスン
あはは！ごめんごめん
こないだの巨人達《きょじんたち》がいたから観察《かんさつ》せずにはいられなくて…
来《く》るぞ…
ザザッ
まぁ
黙《だま》って見逃《みのが》すほど…
できた連中《れんちゅう》じゃねぇだろうしな…

7時間目《じかんめ》 面白《おもしろ》い匂《にお》いのする回《かい》

1年4組
帰るぞー
ザワザワ
お前達《まえたち》…
まだ入部届《にゅうぶとどけ》
出《だ》さないのか…
提出期限《ていしゅつきげん》は
1週間前《しゅうかんまえ》だったはず
だが…
出《だ》してないのは
校内《こうない》でお前達《まえたち》ぐらい
だぞ…
進撃中学校《しんげきちゅうがっこう》は
人間《にんげん》・巨人共学《きょじんきょうがく》で
生徒数《せいとすう》も多《おお》く
部活動《ぶかつどう》も
盛《さか》んであったが
それは部活《ぶかつ》への入部《にゅうぶ》が
強制《きょうせい》なためでもある
だが1年《ねん》4組《くみ》のいつもの連中《れんちゅう》は
所属《しょぞく》する部《ぶ》を決《き》めかね
居残《いのこ》りさせられているのだった
ちょっと
入部届まだ
出してない奴は
残ってくれ!
やべっ

先生《せんせい》はこれから
職員会議《しょくいんかいぎ》で
抜《ぬ》けるが…
今日中《きょうじゅう》に入部届《にゅうぶとどけ》を
提出《ていしゅつ》しておくように!!
ピシャッ
は〜い…
……
部活《ぶかつ》に強制《きょうせい》
入部《にゅうぶ》って…
また何《なに》かあるんじゃ
ないかって思《おも》って
しまうんですよね
ペタッ
まったく
その通《とお》りだ…
こないだの一件《いっけん》から
して…学校《がっこう》に不信感《ふしんかん》を
抱《いだ》かない方《ほう》がどうか
してるぜ…
トッ
入部届
もし…
巨人共《きょじんども》をぶっ倒《たお》し
まくれる部活《ぶかつ》でもあれば
別《べつ》だけどな…
エレンらしい
発想《はっそう》ですね…
マジメな顔して
すごいことを…
お前《まえ》
そりゃあ…
ほんとにあったら
今《いま》の俺達《おれたち》に持《も》ってこいの
部活《ぶかつ》だろうな

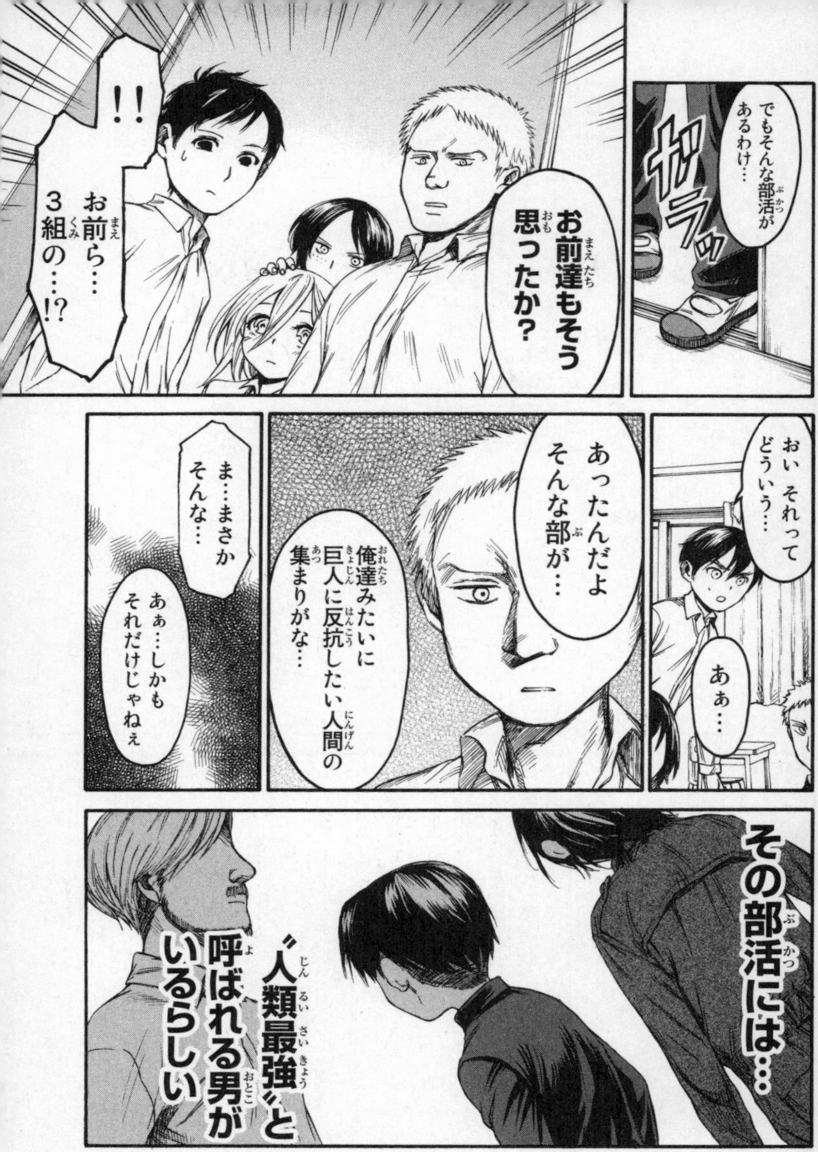

でもそんな部活《ぶかつ》があるわけ…
ガラッ
お前達《まえたち》もそう思《おも》ったか?
!!
お前《まえ》ら…3組《くみ》の…!?
おい それってどういう…
あぁ…
あったんだよそんな部《ぶ》が…
俺達《おれたち》みたいに巨人《きょじん》に反抗《はんこう》したい人間《にんげん》の集《あつ》まりがな…
ま…まさかそんな…
あぁ…しかもそれだけじゃねぇ
その部活《ぶかつ》には…
“人《じん》類《るい》最《さい》強《きょう》”と呼《よ》ばれる男《おとこ》がいるらしい

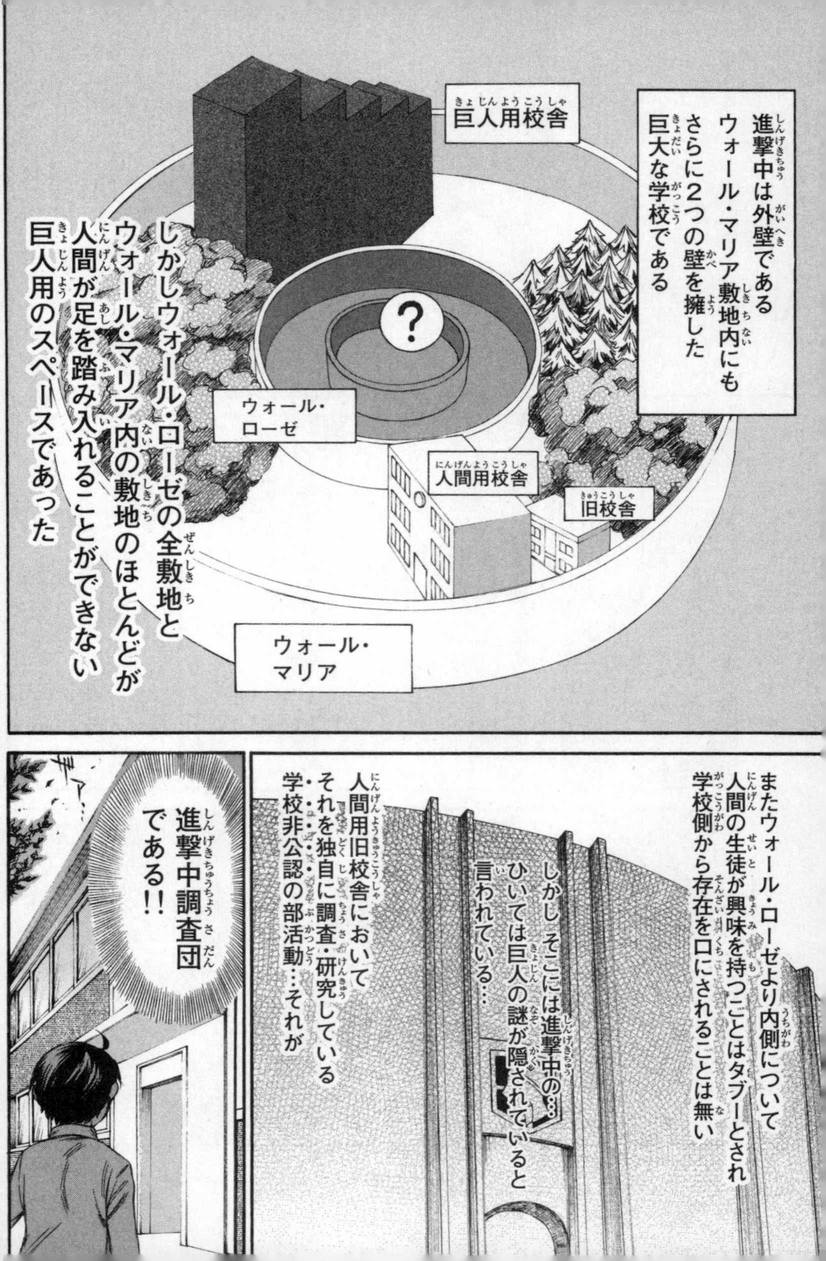
進撃中《しんげきちゅう》は外壁《がいへき》である
ウォール・マリア敷地内《しきちない》にも
さらに2つの壁《かべ》を擁《よう》した
巨大《きょだい》な学校《がっこう》である
巨人用校舎《きょじんようこうしゃ》
?
ウォール・ローゼ
人間用校舎《にんげんようこうしゃ》
旧校舎《きゅうこうしゃ》
ウォール・マリア
しかしウォール・ローゼの全敷地《ぜんしきち》と
ウォール・マリア内《ない》の敷地《しきち》のほとんどが
人間《にんげん》が足《あし》を踏《ふ》み入《い》れることができない
巨人用《きょじんよう》のスペースであった
またウォール・ローゼより内側《うちがわ》について
人間《にんげん》の生徒《せいと》が興味《きょうみ》を持《も》つことはタブーとされ
学校側《がっこうがわ》から存在《そんざい》を口《くち》にされることは無《な》い
しかし そこには進撃中《しんげきちゅう》の…
ひいては巨人《きょじん》の謎《なぞ》が隠《かく》されていると
言《い》われている…
人間用旧校舎《にんげんようきゅうこうしゃ》において
それを独自《どくじ》に調査《ちょうさ》・研究《けんきゅう》している
・・・・
学校非公認の部活動《ぶかつどう》…それが
ギア…
進撃中調査団《しんげきちゅうちょうさだん》
である!!

進撃中調査団
ここが部室《ぶしつ》か…
…割《わり》と堂々《どうどう》と部室《ぶしつ》アピールしてるな
秘密裏《ひみつり》に活動《かつどう》してるはずだけど…
小学生《しょうがくせい》の秘密基地《ひみつきち》のノリじゃねぇか…
ちょっと不安《ふあん》になってきました…
風のように開けたら閉める
厳禁
調査団第一活動拠点
何言《なにい》ってんだよお前《まえ》ら!!
え、
でたっ
この部《ぶ》には“人類最強《じんるいさいきょう》”がいるんだろ…!?
きっと学校《がっこう》も恐《こわ》くて手《て》が出《だ》せないような存在《そんざい》なんだ
気《き》を引《ひ》き締《し》めとかねぇと…オレ達《たち》もどうなるかわからねぇ!!
ガラ
どーぞどーぞ
仕方《しかた》ないからここはオレが先《さき》に…

ガッ
!!
一体《いったい》何《なん》だテメェは…
お前《まえ》まさかここが…
巨人《きょじん》に対抗《たいこう》できる唯一《ゆいいつ》の闇《やみ》の組織《そしき》だと知《し》って来《き》たんじゃねぇだろうな
あ…ハイ
いやそんなはずはねぇ…
この進撃中調査団《しんげきちゅうちょうさだん》の活動《かつどう》は学校《がっこう》にも知《し》られていない…まして一般《いっぱん》の生徒《せいと》になど…
全部自分《ぜんぶじぶん》で言《い》ってる!!
オレ達《たち》…その調査団《ちょうさだん》に入《はい》りたくてここに来《き》たんです!!
どうか中《なか》に入《い》れてもらえませんか!?
グッ
何《なに》言《い》ってやがる…闇《やみ》の組織《そしき》がそんなポイポイよそ者《もの》を中《なか》に入《い》れるわけがな…

オ　オルオー!!
一体《いったい》どうしたんだ　急《きゅう》に…
刺客《しかく》…　刺客《しかく》か…!?
バッ
うちの部《ぶ》も　とうとう学校《がっこう》に　目《め》をつけられたん　だわ…!!
舌《した》を切《き》っていくなんて　むごいことを…
あの〜
その人《ひと》
自分《じぶん》でドアに　挟《はさ》まって舌《した》を　噛《か》んでましたよ…
えっ
そうね　そういえば…

オルオは一日《にち》3回《かい》くらい…自分《じぶん》で舌《した》噛《か》んでたよね
物々《ものもの》しい雰囲気《ふんいき》で飛《と》び出《だ》していったから何《なに》かと思《おも》ったぜ
いっそ舌《した》が無《な》い方《ほう》がお前《まえ》のためでは…
な 何《なん》てこと言《い》いやがるんだお前《まえ》ら!!
元《もと》はと言《い》えばこいつらが悪《わる》いんだ!!
何《なに》も言《い》わずにやってきて急《きゅう》に入部《にゅうぶ》したいなどと!!
でもオルオ…それも仕方《しかた》ないじゃない…
なっ…
おっ
やさしい…
私達《わたしたち》は人知《ひとし》れず暗躍《あんやく》する闇《やみ》の組織《そしき》よ…
キッ
1年生《ねんせい》が事前《じぜん》にコンタクトをとるなんて到底《とうてい》ムリに決《き》まってるじゃない!!
ドーン
いや…場所《ばしょ》がわかった時点《じてん》でそれは…
そ…その通《とお》りだぜペトラ…
俺達《おれたち》は歴史《れきし》に名《な》を残《のこ》すことのないアウトローな存在《そんざい》…
フッ
新入部員《しんにゅうぶいん》もこれぐらい常識外《じょうしきはず》れな奴《やつ》じゃねーとな!!
この人達《ひとたち》に言《い》われたくねーな
それじゃあ早速《さっそく》新入部員歓迎《しんにゅうぶいんかんげい》を…
と言《い》いたいところだけど

先輩方全員《せんぱいがたぜんいん》の承認《しょうにん》を得《え》ないと入《い》れられないわ
えーーーっ
遠征《えんせい》に行《い》ってもうそろそろ帰《かえ》ってくるハズなんだけど
承認《しょうにん》が必要《ひつよう》なのは理由《りゆう》があるんですか?
…闇《やみ》の組織《そしき》だからよ…
フゥ…
まだそれ言《い》いますか!?
いやもういいですけどその先輩《せんぱい》って何人《なんにん》いるんですか?
3人《にん》いらっしゃるわ
キシ…
キシ…
ギシ…
最初《さいしょ》はもっといたんだけど…最終的《さいしゅうてき》に残《のこ》ったのが今《いま》の3人《にん》で…
ガラッ
ただいまー!!
!!

ハンジさん！ミケさん！
お帰《かえ》りなさい！！
あれが調査団《ちょうさだん》の3年生《ねんせい》…
あれ…でも2人《ふたり》しか…
あ ハンジさん ちょっと…
リヴァイさんはまだ戻《もど》られては…
あぁリヴァイはいつもの潔癖《けっぺき》で服《ふく》が汚《よご》れたからって先《さき》に着替《きが》えに行《い》っちゃった
そんなことより どうしたの？知《し》らない子《こ》がいっぱいいるみたいだけど
あっ そうそう 調査団《ちょうさだん》に入《はい》りたいって1年生《ねんせい》が見学《けんがく》に来《き》たんですよ！！
よく ここが わかったね！
すん すん すん
うそぉ！！
うちに入《はい》りたい子《こ》がこんなに沢山《たくさん》いるなんて！！
いやーでも丁度《ちょうど》よかった！
とっておきのおみやげがあるんだよ！！
ブフッ

見《み》て見《み》てー
わーい
巨人《きょじん》の切《き》った爪《つめ》が捨《す》ててあったから持《も》って帰《かえ》ってきた!
あれ?
しーーーん…
み…皆《みんな》こういうのに興味《きょうみ》があるからうちに入《はい》るんじゃ…
違《ちが》いますよ!!
オレ達《たち》は巨人《きょじん》をぶっ倒《たお》したくてここに来《き》たんですよ!!
あっ も もちろん私《わたし》もだよ!!
巨人《きょじん》を憎《にく》む反面《はんめん》全身《ぜんしん》かっさばいて骨《ほね》の髄《ずい》まで知《し》りつくしたいとかいう歪《ゆが》んだ愛情《あいじょう》ゆえではないよ!!
絶対《ぜったい》それゆえだー!!

オレ達《たち》…今日中《きょうじゅう》に所属《しょぞく》する部《ぶ》を決めなきゃいけないので…
先輩方全員《せんぱいがたぜんいん》から承認《しょうにん》を受《う》けるために
リヴァイさんという方《かた》を呼《よ》んでいただけるとありがたいのですが…
あぁなるほど…
そういうことなら…
ヘンな顔《かお》して待《ま》ってたらすぐ来《く》るよ
は？
しーーーん…

ムム
サッ
パアアアアァンッ
え…
エン—!!
な…
何《なん》だ
こいつは!?
やぁ
リヴァイ
今日《きょう》のハリセンも
いい音《おと》してるよ!
何《なに》言《い》ってんだ
クソメガネ
人前《ひとまえ》で汚《きた》ねぇツラ
さらしやがって…
……
ビクウッ

まさか…この人《ひと》がーー
何《なん》だこのガキどもは
何《なに》って新入部員《しんにゅうぶいん》に決《き》まってるじゃん
人類《じんるい》最強《さいきょう》……!?
ピクッ
新入部員《しんにゅうぶいん》…?
てめえら この部《ぶ》に入《はい》ることが どういうことか ちゃんとわかって 来《き》てんだろうな…
!!
ここに入《はい》れば当然《とうぜん》 巨人《きょじん》と直接敵対《ちょくせつてきたい》することになるし
学校《がっこう》に部《ぶ》の活動《かつどう》がバレれば
廃部《はいぶ》どころでは済《す》まないかもしれん

学校《がっこう》自体《じたい》にいられなくなるかもしれない
そういう覚悟《かくご》を持《も》って
お前《まえ》らはここにいるんだろうな
……
…はい!
オレ達《たち》は…絶対《ぜったい》に巨人《きょじん》を許《ゆる》せないんです!
あいつらを倒《たお》すためなら何《なん》だってやります!
それだけの覚悟《かくご》を持《も》ってここに来《き》ました!!
もう二《に》度《ど》と…
あんな思《おも》いはしたくないから…
ほう…
悪《わる》くない

スパパパパパパパパァァァンッッ
認《み》めてやるよ お前《まえ》ら全員《ぜんいん》
調査団《ちょうさだん》への入団《にゅうだん》を…
やったー!!
なんか格好《かっこう》よくねーかこれ!!
さすが闇の組織!!
これで俺達《おれたち》も晴《は》れて団員《だんいん》だ!!
うるせぇな
わあぁぁ ぁぁ
よっしゃあ これでやっと… 念願《ねんがん》の入部届《にゅうぶとどけ》を提出《ていしゅつ》できるぜ!!
!!

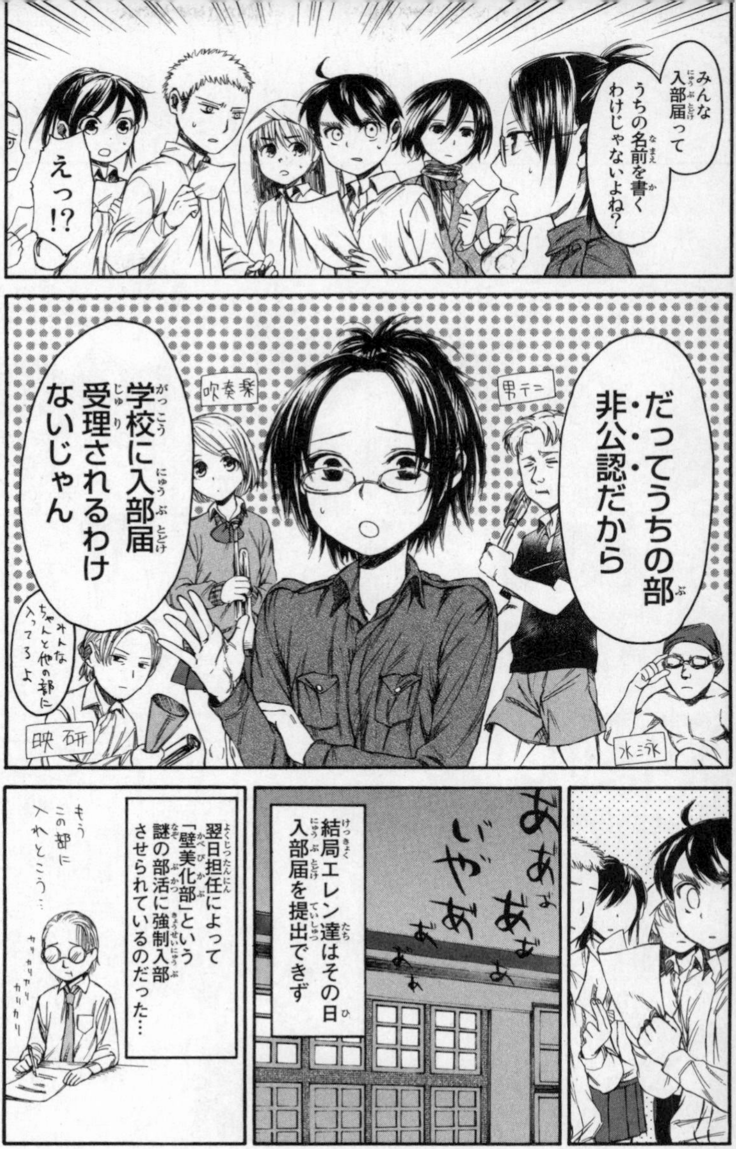
みんな入部届《にゅうぶとどけ》って
うちの名前《なまえ》を書《か》くわけじゃないよね?
えっ!?
だってうちの部《ぶ》
非公認だから
男テニ
吹奏楽
学校《がっこう》に入部届《にゅうぶとどけ》受理《じゅり》されるわけないじゃん
みんなちゃんと他の部に入ってるよ
映研
水泳
結局《けっきょく》エレン達《たち》はその日《ひ》入部届《にゅうぶとどけ》を提出《ていしゅつ》できず
あ゛あ゛ぁ゛あ゛ぁ
じゃ゛あ゛
あ゛あ゛ぁ
翌日担任《よくじつたんにん》によって「壁美化部《かべびかぶ》」という謎《なぞ》の部活《ぶかつ》に強制入部《きょうせいにゅうぶ》させられているのだった…
もうこの部に入れとこう…
カリカリカリカリ
カリカリ

はりせん！
おまけげきじょう③

たのしい部活動

副題：ミカサの顔芸

そういえばリヴァイさんは部活は何されてるんですか？
は？
てめぇがそれを知る必要はねぇ
グッ
え…
彼は素直じゃないから…
私がかわりに教えてあげよう
ほんとですか!?
この地図の場所に行けばわかるから
スッ
明日の放課後行ってみるといいよ！
ーと言われて来てみたけど…
絶対リヴァイさんいないだろ…
ハンジさんの部室だもんね…
ハンジのたのしい生物部
ガラ
なんでこんなこと…
あれっみんなこんな所で会うなんて奇遇だねぇ!!
入部届
せっかくだし生物部に入部して…
入りません！
うっ

オレ達《たち》も無事《ぶじ》調査団《ちょうさだん》の一員《いちいん》になれたし
今日《きょう》からの放課後《ほうかご》が楽《たの》しみだな
でも結局入部届《けっきょくにゅうぶとどけ》は出《だ》せなかったけど…
出《だ》せなかったもんは仕方無《しかたな》い!!
きっともう先生《せんせい》も諦《あきら》めて…
3人《にん》とも!!
私達勝手《わたしたちかって》に謎《なぞ》の変《へん》な部《ぶ》に入《い》れられてますよ!!
こっちこっち!
な 謎《なぞ》の変《へん》な部《ぶ》って何《なん》だよお前《まえ》ら…
以上 6名を
壁美化部
強制入部させるものと
別《べつ》に部活《ぶかつ》に謎《なぞ》も変《へん》も無《な》…
謎《なぞ》の変《へん》な部《ぶ》だ——!!

8時《じ》間《かん》目《め》 ダジャレのススメ

放課後《ほうかご》
「壁美化部《かべびかぶ》」って一体何《いったいなん》だよ!!
どうして数《かず》ある部活《ぶかつ》の中《なか》でこの部《ぶ》に入《い》れたんだよ!!
私《わたし》のこと考《かんが》えて「調理部《ちょうりぶ》」とかに入《い》れてくれたっていいじゃないですかー!!
クソー!!
「キタク部《ぶ》」ってのが楽《らく》そうだったから入《はい》っとけばよかったぜ!!
おい うるさいぞ そこ!!
コミー その部にも入部届は出せないんだ…
な、まさか"闇の組織"…!?
お前達《まえたち》そんなにうちの部《ぶ》に入《はい》りたくなかったのか?
!!

か　壁《かべ》美《び》化《か》部《ぶ》の方《かた》ですか!?
あぁ　そうだけど…
オレ達《たち》は先生《せんせい》に強制入部《きょうせいにゅうぶ》させられたんです!!
おお!!
直球!!
実《じつ》は他《ほか》にやるべきことがあって…今回《こんかい》の入部《にゅうぶ》を取《と》り消《け》してもらうことはできないでしょうか!?
ダメだ!!
スコーンッ
強制入部《きょうせいにゅうぶ》の奴《やつ》なんてお前《まえ》ら以外《いがい》にも山《やま》ほどいる…それに…
こちとらプライド持《も》って美化《びか》やってんだ
入《はい》ると決《き》まったからにはきちっとやることやってもらう
そ…そんな…
うわー!!
わかったら1年生《ねんせい》はまず窓拭《まどふ》きから!
人間用校舎《にんげんようこうしゃ》の窓《まど》を全部《ぜんぶ》磨《みが》き上《あ》げてこい!!

クソー…
ホントだったら今頃《いまごろ》
調査団《ちょうさだん》で巨人《きょじん》どもを駆逐《くちく》
しまくってただろうに…
どうしてこんな所《とこ》で
掃除《そうじ》なんか…
「キタク部《ぶ》」って
結局《けっきょく》何なんだ…
願望《がんぼう》を書《か》くな
お前《まえ》ら
サボってたら
また怒《おこ》られるし
ちゃんとやろうよ！
ハッ
そうだ…
こっちから辞《や》められないなら
向《む》こうに辞《や》めさせられれば
いいんだ…!!
姑息《こそく》な手段《しゅだん》だが
部活《ぶかつ》を辞《や》めるにはこれしか…
お前らは
窓ふきも満足に
できないのか!?
すみません…
全力を尽くしたん
ですが…
…なぁ
みんなちょっと
聞《き》…
みんなー！
ちゃんとやってる
──!?

!!
ハンジさん!!
やぁやぁ!
壁美化部《かべびかぶ》に入《はい》ったんだってねー!!
入《はい》ったっていうか強制入部《きょうせいにゅうぶ》なんですけど…
アハハ!だろうと思《おも》った
まぁでも強制《きょうせい》だろうと何《なん》だろうと
ちゃんと部活《ぶかつ》をやってないとリヴァイにお仕置《しお》きされるからね
おお仕置《しお》きって一体《いったい》…!?
フフ…実《じつ》は…調査団《ちょうさだん》には色々《いろいろ》規定《きてい》があるんだよ
我《わ》が進撃中調査団《しんげきちゅうちょうさだん》の心得《こころえ》の一っ…!
「調査団活動《ちょうさだんかつどう》の前《まえ》に本来《ほんらい》の部活動《ぶかつどう》を全《まっと》うせよ!
これを破《やぶ》ったものは即刻退団処分《そっこくたいだんしょぶん》とする。又《また》は…
リヴァイ部長《ぶちょう》からハリセンオシリペンペン100回《かい》の刑《けい》」だよ!!
えぇっ!?

ただでさえ
威力《いりょく》のある
リヴァイさんの
ハリセン…！
それをケツに
100回《かい》ぶち込《こ》まれる
だと…!?
ていうか…
この歳《とし》で
〝オシリペンペン〟
って何《なん》だよ…！
恥《は》ずかしい…っ!!
とにかく見《み》てなくても
サボってたらすぐ
わかるから
隙《すき》を見《み》てサボろうなんて
考《かんが》えない方《ほう》がいいよ！
ギクゥッ
じゃあ私《わたし》は
生物部《せいぶつぶ》がある
から！
みんな
頑張《がんば》ってねー！
…まぁ
仕方無《しかたな》いな…
何《なん》にせよ
部活《ぶかつ》はしなくちゃ
いけないし…
掃除《そうじ》するだけ
だし…
クソッ…
こうなったら
逆転《ぎゃくてん》の発想《はっそう》だ…
調査団活動《ちょうさだんかつどう》のため
残《のこ》された道《みち》はこれしか
ない…！
2時間後《じかんご》
どうだ
1年生《ねんせい》
ちゃんと言《い》われた
通《とお》りにやって…

どうですか
先輩《せんぱい》!!
オレ達《たち》学校中《がっこうじゅう》の
窓《まど》を完璧《かんぺき》に
拭《ふ》き終《お》わりました!
今日《きょう》はもう
帰《かえ》って大丈夫《だいじょうぶ》じゃない
ですかねぇ!?
お……
お前達《まえたち》…

素晴《すば》らしい!!
ここまで完璧《かんぺき》にこなした1年生《ねんせい》は初《はじ》めてだ!!
おおっ!!
よしっ!!
きっとこれでもう帰《かえ》してもらえ…
本当《ほんとう》にすごいよこれは…
お前達《まえたち》には特別《とくべつ》に2年生《ねんせい》以上《いじょう》しか許《ゆる》されていない…
「壁美化部伝統《かべびかぶでんとう》空中美化作業《くうちゅうびかさぎょう》」をさせてやろう!!
!?
すごく名誉《めいよ》なことなんだぞ!
そ…っ
そんなー!!
ザワ
ザワ
キュッ
よし…と
じゃあまず手本《てほん》を見《み》せるから
しっかり見《み》ておくんだぞ1年生《ねんせい》
せ…先輩《せんぱい》あのそれは…

あぁそうだ 知《し》らないんだったな……
これは「立体機動装置《りったいきどうそうち》」と言《い》って…この大《おお》きな壁《かべ》を上《うえ》まで掃除《そうじ》するために
その昔《むかし》…100人《にん》いたという壁美化部員《かべびかぶいん》すべての部費《ぶひ》を投入《とうにゅう》して技術部《ぎじゅつぶ》と共同《きょうどう》で開発《かいはつ》したものなんだ!
そこまでして壁美化《かべびか》を…!?
まぁここで詳《くわ》しく説明《せつめい》するのもなんだから
使《つか》い方《かた》は見《み》て覚《おぼ》えてくれ!
ピシッ
ヒュゥッ
お前達《まえたち》にやってもらった窓拭《まどふ》き…
!!
あれには壁美化《かべびか》における基本動作《きほんどうさ》がすべて含《ふく》まれているんだ

まずは対象全体《たいしょうぜんたい》に洗剤《せんざい》を吹《ふ》きかけ
汚《よご》れを浮《う》かせておく
次《つぎ》に洗剤《せんざい》が乾《かわ》ききらない内《うち》に
道具《どうぐ》を使《つか》って対象《たいしょう》を磨《みが》き上《あ》げる
そして最後《さいご》…
ワイパーを使《つか》って
すべての汚《よご》れを拭《ぬぐ》い去《さ》る！

あれだけ窓《まど》を美《うつく》しく磨《みが》き上《あ》げたお前達《まえたち》になら
この壁《かべ》を美《うつく》しくすることだってできるはずだ!
……
スタッ
ふっ…
どうだ…
今《いま》のお前達《まえたち》にならできそうだろ?
……
こっ…
!?
流石《さすが》に1年生《ねんせい》にやらせるには早《はや》すぎたか…
普通《ふつう》なら窓《まど》拭《ふ》きで1年《ねん》修行《しゅぎょう》した者《もの》にだけ見《み》せる芸当《げいとう》だ…こいつらにはまだ……
こんな…っ

こんなすごいことしてたんすか!?
めちゃくちゃかっこいいじゃないすかぁ!!
いいんですかこんなことさせてもらって!?
あの窓《まど》拭《ふ》きからこんな風《ふう》になるなんてびっくりですよ!!
美化部《びかぶ》すげぇ!! やるじゃねーか!!
立体機動《りったいきどう》って何《なん》だよオイ!!
めっちゃ宙《ちゅう》浮《う》いてた宙《ちゅう》!!
よかった…そんな細《こま》かいこと考《かんが》える連中《れんちゅう》じゃなかった…
よし!
それだけやる気《き》があれば大丈夫《だいじょうぶ》だな!!
さっそく明日《あした》から立体機動《りったいきどう》の訓練《くんれん》を始《はじ》めるぞ!!
はい!!

翌日《よくじつ》
なかなか やるじゃないか 1年生《ねんせい》…
もうほとんど 立体機動《りったいきどう》を使《つか》い こなしてる…
チラッ
それなのに あいつは…
エレン!!
もうやめて!! 身体中《からだじゅう》ボロボロ じゃない!!
いや…これくらい 平気《へいき》だ…っ
全然平気《ぜんぜんへいき》じゃ ないって! 命《いのち》に関《かか》わるよ エレン!!
うるせぇ!!
……
オレは何《なん》としても やってみせる!
ヒュッ
絶対《ぜったい》にできる はずだ!
ダッ
あごから 落《お》ちたー!!
ビタアアアアンッ

何《なん》でこいつだけこんなにできないんだ……
コニーにもできたから頭《あたま》のせいでは…
エレンは運動能力《うんどうのうりょく》は高《たか》いはずなんですけど…
エレン!!
エレンがここまでやってもできないなんて流石《さすが》におかしい…
もしかして装置《そうち》が壊《こわ》れてるんじゃ…
何《なに》言《い》ってるんだ! 先人達《せんじんたち》が全部費《ぜんぶひ》を投《とう》じて作《つく》り上《あ》げた装置《そうち》なんだぞ!
こいつに並外《なみはず》れて立体機動《りったいきどう》の才能《さいのう》が無《な》いんだよ!!
もし装置《そうち》が壊《こわ》れてたらエレンに土下座《どげざ》してあやま…
これどう見《み》ても壊《こわ》れてるわ…
あ・・・
そんな…
みみんなもう今日《きょう》は帰《かえ》っていいぞ!
いや 帰《かえ》れ!!
ええっ!?
次《つぎ》の日《ひ》
やったああああぁぁ
コソコソ…
なぜかエレンは急《きゅう》に立体機動《りったいきどう》ができるようになっているのだった
エレン…

そして3日後《みっかご》――
これでやっとオレ達《たち》も…
壁美化部伝統《かべびかぶでんとう》の「空中美化作業《くうちゅうびかさぎょう》」ができるんだな…
最初《さいしょ》に この部《ぶ》に来《き》た時《とき》は辞《や》めることばかり考《かんが》えてたけど…
入《はい》ってみると結構《けっこう》やりがいがあって…
先輩《せんぱい》も優《やさ》しくしてくれて…
今《いま》は本当《ほんとう》にこの部《ぶ》に入《はい》ってよかった心《こころ》からそう思《おも》ってる
私《わたし》からも一言《ひとこと》言《い》わせてくれ

最初《さいしょ》にお前達《まえたち》を見《み》た時《とき》は
例年通《れいねんどお》り強制入部《きょうせいにゅうぶ》のやる気《き》の無《な》い奴《やつ》らが来《き》たと思《おも》ってがっかりした…
でも…実際《じっさい》はそうじゃなかった…
あの美《うつく》しく磨《みが》かれた窓《まど》を見《み》て確信《かくしん》したよ…
長年《ながねん》 学校《がっこう》の象徴《しょうちょう》である壁《かべ》を守《まも》ってきたうちの部《ぶ》を
お前達《まえたち》になら任《まか》せられる…
ギュッ
さぁ…思《おも》う存分《ぞんぶん》その力《ちから》を見《み》せてくれ!!
はい!!
リコ先輩《せんぱい》!!

みんな…順調《じゅんちょう》に作業《さぎょう》できているみたいだな……何《なん》て素晴《すば》らしい……
立体機動《りったいきどう》もすっかり様《さま》になって…これぞ…これぞまさしく…
みんなああああ
これぞまさしく『立体機動《りったいきどう》そうち』ならぬ
『立体機動《りったいきどう》そうじ』だな!!!

?
ポロッ
ん…
…あれ…
何《なん》だ…この空気《くうき》は…
その後《ご》エレン達《たち》は壁《かべ》美《び》化《か》作《さ》業《ぎょう》を無事《ぶじ》やり遂《と》げたが…
…
み、みんななんで黙ってるんだー!!
壁《かべ》の美《うつく》しさとは裏腹《うらはら》に…心《こころ》には影《かげ》が射《さ》しているのだった
なんだその目はーっ!?
立体機動そうじで…
〔2巻《かん》につづく〕

編集部では、この作品に対する皆様のご意見・ご感想をお待ちしております。
また「講談社コミックス」にまとめてほしい作品がありましたら、編集部までお知らせください。
〈あて先〉
〒112-8001 東京都文京区音羽2-12-21 講談社
週刊少年マガジン編集部「少年マガジンKC」係
なお、お送りいただいたお手紙・おハガキは、ご記入いただいた個人情報を含めて
著者にお渡しすることがありますので、あらかじめご了解のうえ、お送りください。

作品初出／別冊少年マガジン2012年5月号から11月号

講談社コミックス マガジン KCM4841

進撃《しんげき》！巨人中学校《きょじんちゅうがっこう》①

2013年 4月 9日 第1刷発行（定価はカバーに表示してあります）

著　者　中川《なかがわ》沙樹《さき》
諫山《いさやま》 創《はじめ》

発行者　清水保雅
発行所　株式会社 講談社
〒112-8001 東京都文京区音羽2-12-21
電話番号 編集部 東京（03）5395-3459
販売部 東京（03）5395-3608
業務部 東京（03）5395-3603
印刷所　大日本印刷株式会社
本文製版所　株式会社二葉写真製版
製本所　誠和製本株式会社

講談社

●落丁本・乱丁本は購入書店名をご記入のうえ、小社業務部宛にお送りください。送料小社負担にてお取り替えいたします。なお、この本についてのお問い合わせは週刊少年マガジン編集部宛にお願いいたします。

N.D.C.726　163p　18cm　Printed in Japan　ISBN978-4-06-384841-0